情報活用のうまい人がやっている

3色ボールペンの使い方

齋藤孝

フォレスト出版

拍子によってつくられるのが「間」である。

間は、アイダではなく、マと読む。これも本来は音楽用語で、音楽の緩急つまりテンポのことであるが、舞踊では身体のリズムである。

間には、普通の「定間」――ジョウマと、短く急調子の「半間」――ハンマがある。この二つを表裏一体に組み合せることによって、複雑なリズムがうまれる。

間の早くなることを「ノリ」という。ノリがいいわるいという、あのノリである。リズムとテンポに没入することをいう。踊ではことにこのノリが大事なのは、舞と違って踊は一種の狂想状態に没入することが大事だからである。

拍子、間、ノリといった動作についた用語に対して、踊り手にとって大事なのは、その踊り手の「肚」であり、「心」である。肚とは曲の中の人物の気持であり、心とはその踊り手自身の気持である。

肚と心を、拍子、間、ノリによって観客に伝える力が「気」である。肚や心は、身体の動きと違って、目に見えない。目に見えないものを目に見えるものとの関係によって伝達するのが気である。

これについては、もっとのちにくわしくのべる。

3色方式による高速資料チェック　渡部保著『日本の舞踊』（岩波新書）より

文脈の中で重要なキーワードを素早く拾う

- 〈「肚」「心」を「間」によって観客に伝える力が「気」である〉
  これだけでも、本書で重要な身体観がさっとわかる
- 著者は長年この3色方式で大量に本を読み込んできた

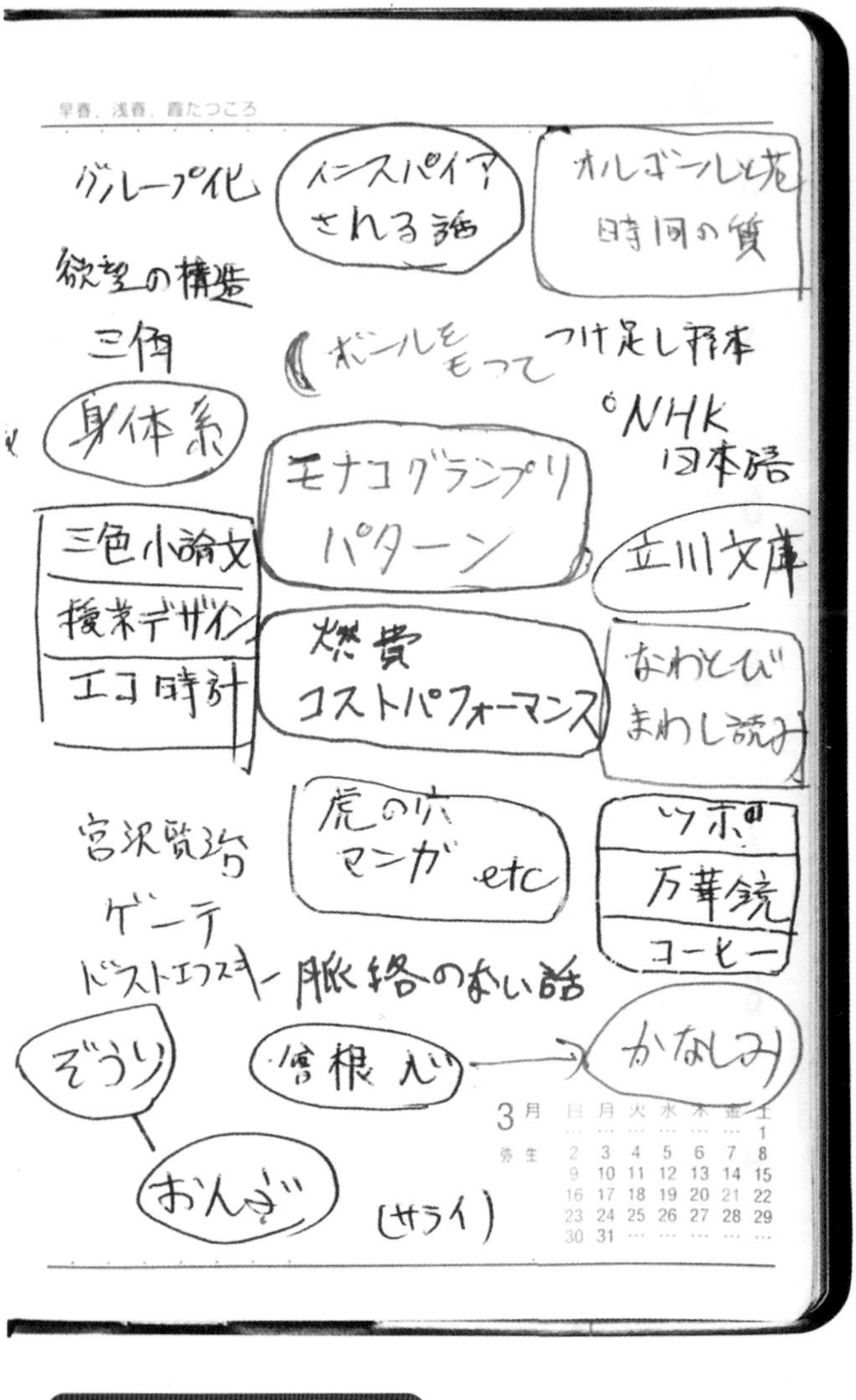

3色手帳術〈メモ欄〉

メモはアイディアの宝庫！

・相手の言ったことをそのまま書かない
・自分の中で生まれた言葉を書き留める
・この手帳を見て、古舘伊知郎は「モナコグランプリ」という言葉に反応した

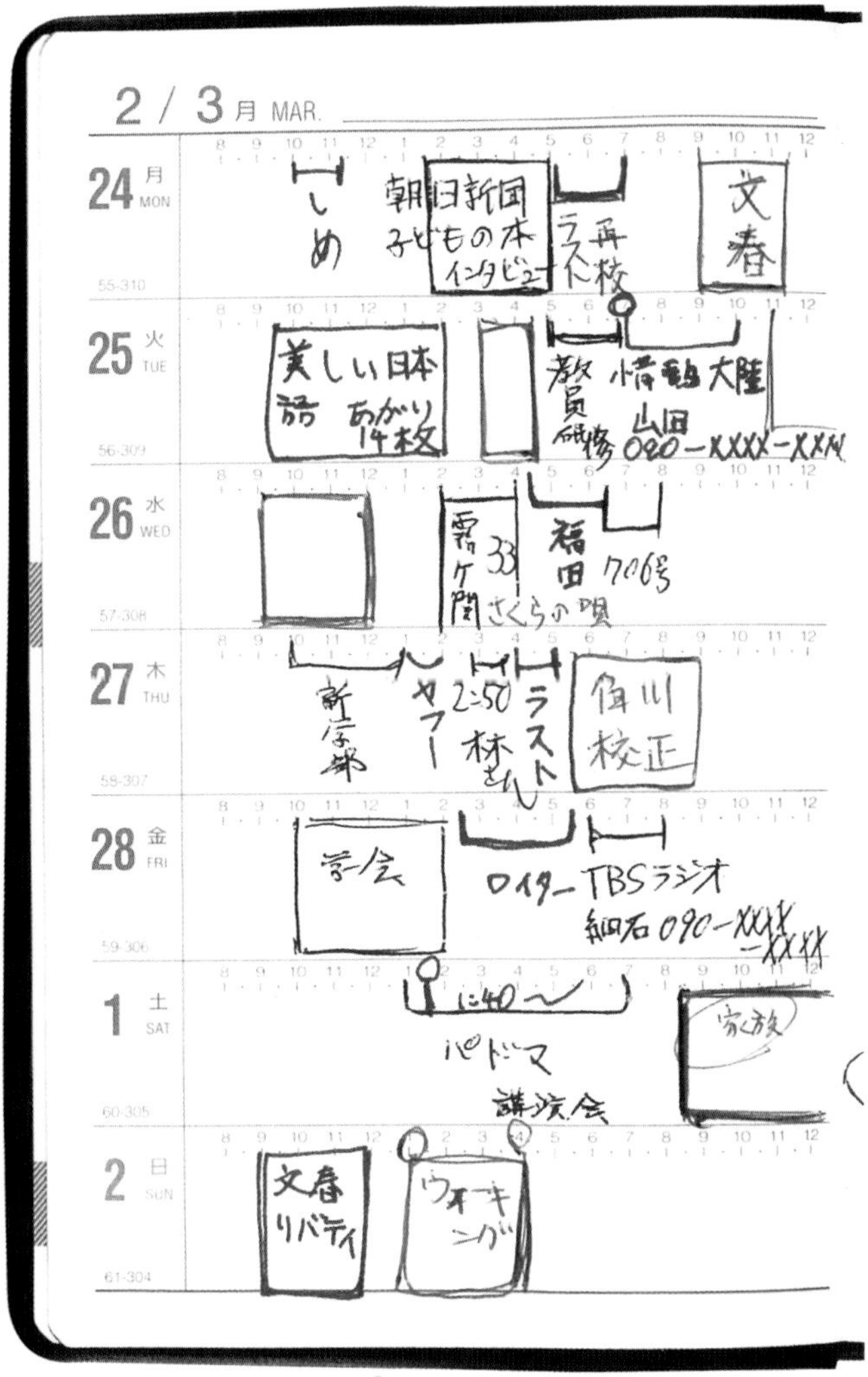

3色手帳術〈週間スケジュール〉

時間を割る感覚を身につける

- 3色でメリハリをつけ、予定に合わせて仕込みを済ませておく
- 90分が効率のよい単位

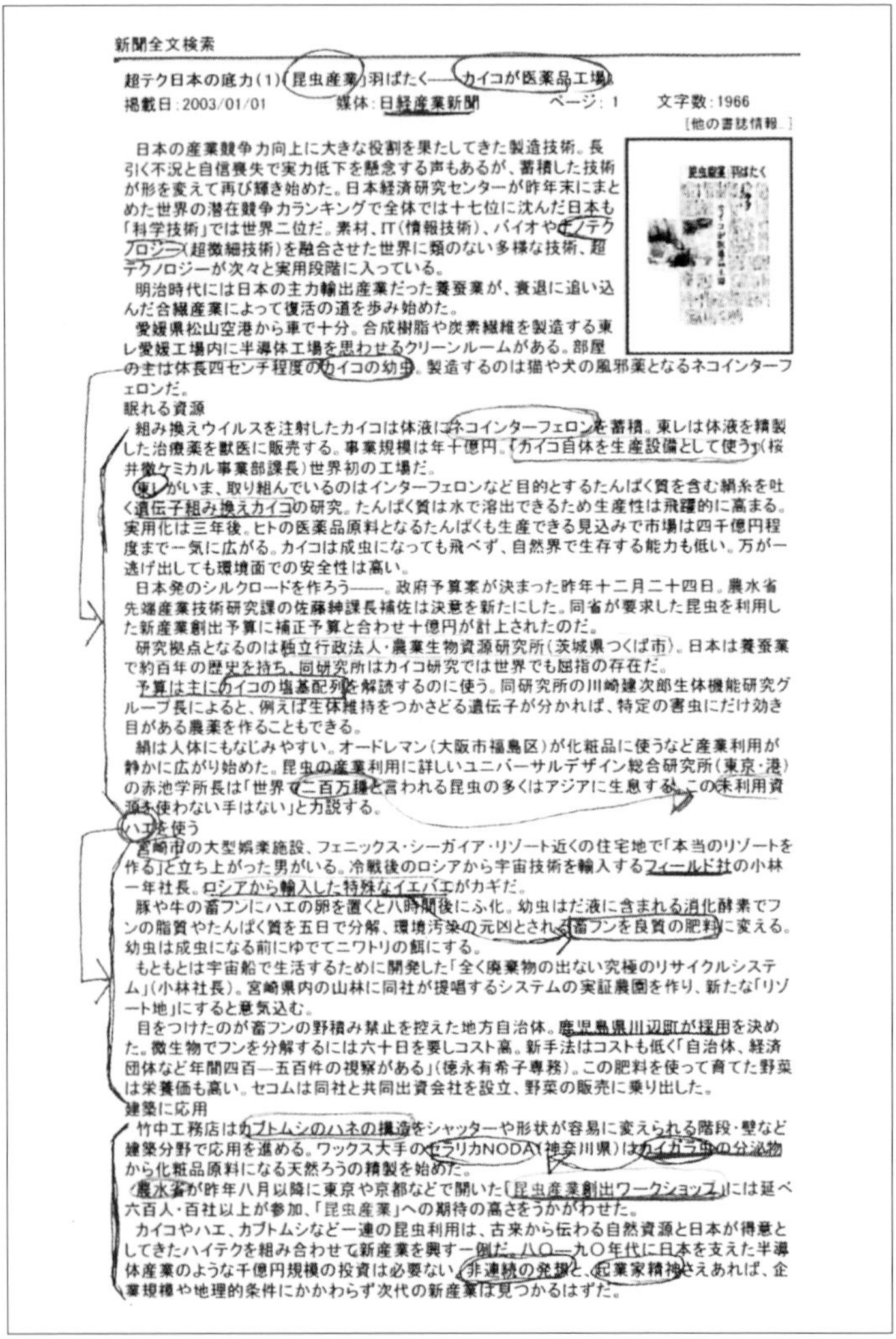

新聞全文検索

超テク日本の底力(1)昆虫産業羽ばたく――カイコが医薬品工場

掲載日:2003/01/01　媒体:日経産業新聞　ページ:1　文字数:1966

[他の書誌情報..]

日本の産業競争力向上に大きな役割を果たしてきた製造技術。長引く不況と自信喪失で実力低下を懸念する声もあるが、蓄積した技術が形を変えて再び輝き始めた。日本経済研究センターが昨年末にまとめた世界の潜在競争力ランキングで全体では十七位に沈んだ日本も「科学技術」では世界二位だ。素材、IT(情報技術)、バイオやナノテクノロジー(超微細技術)を融合させた世界に類のない多様な技術、超テクノロジーが次々と実用段階に入っている。

明治時代には日本の主力輸出産業だった養蚕業が、衰退に追い込んだ合繊産業によって復活の道を歩み始めた。

愛媛県松山空港から車で十分。合成樹脂や炭素繊維を製造する東レ愛媛工場内に半導体工場を思わせるクリーンルームがある。部屋の主は体長四センチ程度のカイコの幼虫。製造するのは猫や犬の風邪薬となるネコインターフェロンだ。

眠れる資源

組み換えウイルスを注射したカイコは体液にネコインターフェロンを蓄積。東レは体液を精製した治療薬を獣医に販売する。事業規模は年十億円。「カイコ自体を生産設備として使う」(桜井徹ケミカル事業部課長)世界初の工場だ。

東レがいま、取り組んでいるのはインターフェロンなど目的とするたんぱく質を含む絹糸を吐く遺伝子組み換えカイコの研究。たんぱく質は水で溶出できるため生産性は飛躍的に高まる。実用化は三年後。ヒトの医薬品原料となるたんぱくも生産できる見込みで市場は四千億円程度まで一気に広がる。カイコは成虫になっても飛べず、自然界で生存する能力も低い。万が一逃げ出しても環境面での安全性は高い。

日本発のシルクロードを作ろう――。政府予算案が決まった昨年十二月二十四日。農水省先端産業技術研究課の佐藤紳課長補佐は決意を新たにした。同省が要求した昆虫を利用した新産業創出予算に補正予算と合わせ十億円が計上されたのだ。

研究拠点となるのは独立行政法人・農業生物資源研究所(茨城県つくば市)。日本は養蚕業で約百年の歴史を持ち、同研究所はカイコ研究では世界でも屈指の存在だ。

予算は主にカイコの塩基配列を解読するのに使う。同研究所の川崎建次郎生体機能研究グループ長によると、例えば生体維持をつかさどる遺伝子が分かれば、特定の害虫にだけ効き目がある農薬を作ることもできる。

絹は人体にもなじみやすい。オードレマン(大阪市福島区)が化粧品に使うなど産業利用が静かに広がり始めた。昆虫の産業利用に詳しいユニバーサルデザイン総合研究所(東京・港)の赤池学所長は「世界で二百万種と言われる昆虫の多くはアジアに生息する。この未利用資源を使わない手はない」と力説する。

ハエを使う

宮崎市の大型娯楽施設、フェニックス・シーガイア・リゾート近くの住宅地で「本当のリゾートを作る」と立ち上がった男がいる。冷戦後のロシアから宇宙技術を輸入するフィールド社の小林一年社長。ロシアから輸入した特殊なイエバエがカギだ。

豚や牛の畜フンにハエの卵を置くと八時間後にふ化。幼虫はだ液に含まれる消化酵素でフンの脂質やたんぱく質を五日で分解、環境汚染の元凶とされる畜フンを良質の肥料に変える。幼虫は成虫になる前にゆでてニワトリの餌にする。

もともとは宇宙船で生活するために開発した「全く廃棄物の出ない究極のリサイクルシステム」(小林社長)。宮崎県内の山林に同社が提唱するシステムの実証農園を作り、新たな「リゾート地」にすると意気込む。

目をつけたのが畜フンの野積み禁止を控えた地方自治体。鹿児島県川辺町が採用を決めた。微生物でフンを分解するには六十日を要しコスト高。新手法はコストも低く「自治体、経済団体など年間四百―五百件の視察がある」(徳永有希子専務)。この肥料を使って育てた野菜は栄養価も高い。セコムは同社と共同出資会社を設立、野菜の販売に乗り出した。

建築に応用

竹中工務店はカブトムシのハネの構造をシャッターや形状が容易に変えられる階段・壁など建築分野で応用を進める。ワックス大手のセラリカNODA(神奈川県)はカイガラ虫の分泌物から化粧品原料になる天然ろうの精製を始めた。

農水省が昨年八月以降に東京や京都などで開いた「昆虫産業創出ワークショップ」には延べ六百人・百社以上が参加、「昆虫産業」への期待の高さをうかがわせた。

カイコやハエ、カブトムシなど一連の昆虫利用は、古来から伝わる自然資源と日本が得意としてきたハイテクを組み合わせて新産業を興す一例だ。八〇―九〇年代に日本を支えた半導体産業のような千億円規模の投資は必要ない。非連続の発想と、起業家精神さえあれば、企業規模や地理的条件にかかわらず次代の新産業は見つかるはずだ。

資料を図式化する

3色で立ち上がらせ、立体化する

- くっきりと立ち上がった資料は、そのままレジュメになる
- 図式化して内容を構造的に理解すると、記憶への定着もよい

3色方式とは

私は、読解力の向上を図り、さらにはコミュニケーション力を鍛える実践的読書法として、先に『3色ボールペンで読む日本語』(角川書店)を上梓《じょうし》した。

赤・青・緑の3色方式は、からだに身につける技《わざ》であり、技は脳を真に鍛える。

今回はそれを、情報の活用術として提案する。

応用範囲の広いこの技は、読書法に限らず、文章力、話術、速読術といった現代人に欠かすことのできないスキルをも向上させる。

3色方式が、普遍的な仕事術、勉強法として活《い》かされ、汎用《はんよう》されていくことを強く願うものである。

序章

デジタル時代こそ「3色ボールペン感覚」が必須スキルとなる

3色方式とは……1
大量の資料を「自分のもの」にする……8
情報を「ろ過する」ための3色ボールペン……10
3色ボールペンという武器で情報に挑む……11
スケジュールを3色で切り分ける……13
「緑の感性」こそが情報社会で活きてくる……15
AIに思考を支配されない感性を育む……18
忘れられつつある「手書き」の威力……21
情報に流されない身体感覚をつかむ……24

第1章

なぜ「整理法」ではダメなのか

「活用」してこそ情報だ……28
役に立たなかった膨大なカード……30
整理して活用ではなく、「整理＝活用」に……33

情報は「お蔵入り」させては意味がない……35
誰でもできるが、自分しか活用できない……39
自分の〝内側〟に取り込む……41
料理でいえば仕込み段階……44
きれいな資料である必要はない……46
腐らせない、力みすぎない……49
自分で生み出すトレーニング……52
自分で育てていく樹……54

第2章

3色方式とは何か

赤・青・緑の使い分け……58
なぜ3つに分けるのか？……62
なぜ赤・青・緑なのか？……66
黒は判断停止の色……69
脳に覚悟を促す！……72
「技」にする、「技」を磨く……75
緑は香辛料、加える量を間違えないこと……79

第3章

くぐらせる——情報との出会い方

自分をかかわらせる……84
情報とは一期一会……87
「くぐらせる」とは？……91
仕事に活かす青と緑のバランス……95
主観・客観の文脈をクロスさせる……99
「引っかかる」感覚は磨けば光るが、さびもする……101
勘や感覚を技化させるためには……104
女性のほうが発想が柔軟……106
無理だと思うところにチャンスあり……109
情報をテキスト化する……113
テキストを探そう……115
捨てるかどうかは緑で決める……117
筆記する力……119
ノートを取るということ……121
メモはどうやって取るか？……123
聞く力を育てる……125

メモから生まれるアイディア……128
3色バランスでプレゼンテーション……131

第4章

立ち上がらせる――情報を立体化する

関心のアンテナを立てる……136
キーワードを丸で囲む……139
キーワードの見つけ方……143
「つかまえてやるぞ」という意識……146
キーワードがレジュメに早変わり……150
会議のレジュメ活用術……153
ビジネスパーソンに求められる「要約力」と「再生力」……157
構造的に理解できるか……161
「文章化↑↓図式化」の技……164
生産性を劇的に向上させる「3色手帳術」……169
時間を3色で切り分ける……174
1週間をシミュレーションする……176
先手必勝の仕事術……179
手帳のメモ欄の使い方……182

ひとコマ90分でメリハリをつける……186
限られた時間をフル活用するには……189

第5章

編み出す――情報からアイディアを生む

緑を重視してきたのはなぜか？……194
すべてのアイディアの源泉は緑……198
緑を発揮するポイントを工夫する……201
どこを「まねる」かの切り口が大事……205
具体的なアイディアが現実を変える……208
異種配合は最強の技――引用力……210
資料を仕込むコツ1……212
資料を仕込むコツ2……215
異なるものを結びつける……217
練習問題……220
旧版　あとがき……237
新版　あとがき……239

本書は、2010年3月に角川書店から刊行された
『三色ボールペン情報活用術』を改題・加筆および再編集したものです。

ブックデザイン――三森健太（JUNGLE）
カバーイラスト――竹田嘉文
図版制作――土屋光（Perfect Vacuum）
編集協力――塚越雅之（Tidy）
校正――聚珍社

序　章

デジタル時代こそ「3色ボールペン感覚」が必須スキルとなる

大量の資料を「自分のもの」にする

私は赤・青・緑の3色のボールペンを使って、勉強をして、情報を取捨選択してきた。

高校生のときから続けてきたのでほぼ半世紀に至る。

ほぼ1日も欠かしたことがない。

これなしでは生活ができない。

「ノー3色ボールペン、ノーライフ」だといえる。

3色ボールペンは、移動するかばんの中に3本必ず入っている。1本だと見つからないことがある。手帳に挿し、かばんに入れ、本に挿す。3本入っていないと落ち着かない。

3色ボールペンを手に持っていないと考えることも読むことも難しい。

私にとって考えることと、メモすることはセットだ。誰かの発言をメモするのではなくて、自分の頭の中で思いついたことをどんどんメモしていく。

もちろん、**相手の言ったこともメモするが、相手の発言と自分の思考のインターフェース、つまりぶつかり合ったところをメモするのだ**。誰かの話を聞いたときに、自分の思考がわき上がってくる。それらを3色ボールペンで書き留めていく。

たとえば、私が出演する『全力！　脱力タイムズ』（フジテレビ）という番組があるが、私はその台本を収録直前にその場で見る。自分の担当するところは大事だから赤で書きこむ。アドリブでいけそうな部分は緑色でメモする。

3色ボールペンさえあれば、資料をその場で自分のものにできる。

情報を「ろ過する」ための3色ボールペン

情報は自分の外を流れている川のようなものだ。これらを3色ボールペンを活用して全部自分の中に取り込んでいく。しかし、ガンジス川のごとき広大な情報の大河を全部取り込むのは不可能だ。必要なのは峻別、ろ過すること。

この**「ろ過機能」**こそが3色ボールペンの活用の要だ。

現代は情報に溢れている。いくらでもインターネットで調べられる。その量は無限に近い。さらに英語でも調べはじめたら、きりがないほどの情報がある。それを全部身に引き受けてしまうと、考えることができなくなる。

たとえば、食材が多すぎて、なんの料理を作ったらいいかわからない状態のとき、絶対に入れなきゃいけない食材を赤、これはまあ入れておこうという食材を青、自分が好きだから個人的に入れておこうというのが緑……といった具合に分けていく。それが赤・青・緑の分類の基準だ。膨大な食材（情報）を見渡して、さっと分けて、ろ過する。峻別して、瞬時にその3つのボックスに入れる。そんなイメージだ。

3色ボールペンという武器で情報に挑む

大量の情報を前に、私は3色ボールペンでそれらのキーワードを色分けする。「赤」「青」「緑」と情報が整理されたボックスに収まる。

こんなふうに整理されていたら、それぞれにコメントをするのも簡単になる。なぜ簡単かというと、**この時点ですでに私が情報を選んでいるからだ。**大事な部分をキーワードとして選んでいるから、それについての考えを瞬時に伝えることができる。要するに、情報が多いなら選別し、活用できないものについては通りすぎればいい。

たとえば資料が10枚、目の前にあったとする。1行目から丹念に読んでいたら1枚に3分くらいかかるかもしれない。しかし1枚あたり10秒くらいで瞬殺できたらどうだろう。私はそんな意識で3色ボールペンを使う。

パパパッと3つくらいの重要なキーワードを選び、丸く印をつける。そうすると10枚はたやすく処理できる。会議においても、みんなが最初の数ページに手こずっている間、後半のテーマについてまで把握できている。

3色ボールペンなしで10ページの資料を漫然と読もうとすれば、まったく手が動かないし、頭が働く気がしない。

私は中学時代にテニス部に所属していたが、ラケットを持てばボールを打つ気になったものだ。ラケットを持っていない状態でボールを打つ気になるかというと、誰しもそうでもないだろう。**ラケットを持ったら打つ気になる**。それが大事なところだ。

テニスのラケットは武士でいえば刀だ。刀を持って戦う。

その刀が私にとっては3色ボールペンなのだ。

実際に私が持っているのは、赤・青・緑に加えて、黒の芯も入った4色ボールペンで、それにシャープペンシルがついている。これが最強だ。

外国に行ったときに、知人からこのボールペンを送ってくれと頼まれたこともある。日本のボールペンはすごくよい。私たちは当たり前だと思っているが、日本のボールペンというのはとてもすぐれているのだ。

スケジュールを3色で切り分ける

日々のスケジュールには、未確定の予定というものがある。あるいは、複数の日にちが候補日となっているような状態の予定がある。そういうときに、赤や青で書くと、後で消すのが厄介だ。そのとき、私はシャープペンで書いておく。シャープペンで書いておいて、確定したら、忘れてはならない大事な用事の場合、講演会などは赤、誰かとの打ち合わせなら青で記しておく。またこの日にこの映画を見に行こうなど私的な用事は緑で記す。

たとえば、映画に行くなら、移動を考えると2、3時間かかる。そこの枠を緑色で書き込む。楽しみにしている映画なら、にこにこマークもつけておく。

すると1週間に潤いが生まれる。

そうした「潤う感じ」というのをスケジュール帳にちりばめていく。

だから、**緑というのは私にとって3色ボールペンの中ではすごく大事なものだ**。現代はコストパフォーマンスとかタイムパフォーマンスが大切にされるが、そうしたコスパやタイパといった問題と、1日の中でメリハリや潤いをつけて予定を組むことはまた別の話だ。

私はスケジュール帳を1日に何度も見る。20回くらい見る。

それを見ながら、自然と頭の中で、無意識でシミュレーションしている。赤の用事なら、**その赤の用事をあらためてグルグル巻きにマークすることによって、自分の脳みそにその予定を刷り込んでいる。**内容上のシミュレーションも、手でグルグル巻きにする作業で、脳みそに刻み込んでいく。スケジュール帳が脳みそだとするとまさに刻み込む感じだ。

それを全部、たとえば鉛筆でやったとすれば、刻み込みが足りないと感じる。

ボールペンのよさは「潔さ」だ。「消せない」という潔さ。消せるボールペンがあるが、私は使ったことがない。なぜなら、消せないのがボールペンのよさだからだ。

私たちは消しゴムが通用しない世界に生きている。もう逃れようのない赤、逃れようのない青、そして大好きな絶対逃したくない緑。そんな世界で生きている。

「緑の感性」こそが情報社会で活きてくる

私は書籍を購入すると、即座に緑のマーキングからスタートする。緑からスタートすれば、好きなものに反応すればいいだけだ。小説でも普通の新書のような情報関連の本でも、まず緑を使って感性で対決し、感性を武器として戦う。

私は赤・青・緑の中で何が一番大事かといえば、緑だと思っている。

緑色は自分が好きなもの。自分が勝手におもしろいと思うことだ。

一方、要約力というのは青が担当する。あらすじとして大事なところなどは青で印をする。青がわかっていない人というのは、話の筋もわからない人だ。

一方、著者の大事なメッセージと自分の考えの合致したところは、非常に重要な部分だから赤で印をする。

赤が最重要なのは当たり前だが、赤からスタートすると力んでしまう。本の中で一番大事な部分にいきなり出会うとは限らない。1ページ目から赤が連発したら、それは一番大事なことではないはずだ。

1ページに3個も4個も赤をつけていくと、赤がありすぎて、赤の価値が薄れる。赤を多用すると目立たなくなる。

しかし緑だったら、主観で好きな部分だから、もう反応するだけでいい。好き、嫌い、好き、嫌い……みたいな感じでマークする。

人が怒っているか、笑っているかなどを表情で判断するのは、ものすごく速い。これを**ファストシンキング**という。

緑色も同様で素早く反応できる。自分がおもしろいと思うかどうかというのがわからないという人はあまりいない。どれが大事かはちょっとわからないという場合はあるが、自分がおもしろいと思うかどうかはすぐわかるので、**緑の感性を武器にこの世の大量の情報と戦いたい**。

私には3色ボールペン感覚というのがあるのだろう。3色感覚といってもいい。まずは何をおもしろいと感じるか、緑のインクでスタートする。最初は全部緑でもいい。難しいことは考えないほうがよい。のちにこれは緑じゃなくて一般的に大事だなということがわかったら、そのときに赤・青というのを使えばいい。

緑は日本人にとってはとくに大事だ。日本人には同調圧力がかかっている。他の人はどう考えるだろうというのをつい気にしすぎる。

しかし、**緑は他人とは一切関係ない。自分がおもしろいと思ったことだから、判断はまず脇に置き、緑の印から試みよう。それこそが個の解放につながる。**

みなさんは自分の考えや感性が正解か不正解かと怯《おび》えている。他人はどう考えているか多数派を意識して怯える。でも、3色ボールペンの緑を持った瞬間には、その怯えを一切捨てて、勇気を持って解放された自分に賭けてみよう。

そういう勇気のスイッチ、解放のスイッチが緑だ。

他の人の目を気にしないで、まずは自分と向き合ってみる。

身体ごと、3色感覚、とくに緑感覚を重視する。

それこそがデジタル時代に求められるアナログな感性の強みだ。

AIに思考を支配されない感性を育む

AI時代には、実はこの緑がオリジナリティになっていくはずだ。自分がおもしろいと思ったものを取り出したら、それは自分の世界観にほかならない。緑色は「自分はここがグッときました」という部分だから、自分流の世界だ。

実はそれこそが、AIがどんどん存在感を増す時代において、自分というものの大きな砦《とりで》となる。自分の感性というものが価値を持つのだ。

私は先日、小林一茶《いっさ》に関する本を発表した（『心を軽やかにする小林一茶名句百選』致知出版社）。小林一茶は2万もの句を持つ。2万句のうち、100句を選出した。200分の1ということになる。それを選ぶのに2万句を見た。その際、緑で印をつけていった。それを次から次へと見て、ここはきた、ここはスルーみたいな感じでチェックしていった。そういうふうに緑、緑、緑で印をつけて、自分がおもしろいと思ったものを集めたのだ。感性を全開に、フル回転させるのに緑色は役立った。

ちなみに、**この3色ボールペンのよさは、カチッという音とともにスイッチが切り**

替わる点にもある。この「切り替え」というのが重要だ。

緑にスイッチを入れたということは、主観を通しますという自分に対する宣言だ。あまりにも情報が多い時代。ユーチューブやインスタグラムといったSNSなども、無意識にコンテンツを選びながら、AIが選んだコンテンツばかりを消費していると、AIに自分の思考をすべて支配されるようになる。

ところが、自分は異色の領域から情報を持ってきてもいいのだと意識して、自分の主観でおもしろいものを選び出し、そこを開拓していく。その意識があれば、緑の印こそが自分の存在意義となる。

「感性」というものを信じて、この世の中に対峙していくという構えだ。緑色を手に持つことで、それにスイッチオンする。

一方、青はといえば、もっと冷静に要約したり、数字を大事にしようなど冷静な頭に切り替わることができる。好き嫌いではなく、いってみれば一次審査みたいなものだ。

その中で客観性と自分の考えが合致した重要な部分が赤だ。自分の主観でも、客観的にもすごく大事だと思うところを赤でグルグル巻きにする。

私はこのキーワードグルグル巻き方式によって記憶が強くなると考える。

私はＫｉｎｄｌｅなど電子書籍でも本は読む。しかしその記憶がものすごく薄い。紙の本のほうが強い。なぜなら、本はスクロールせず固定化している。

３色の色が本の位置で身体化している。これは忘れないわけだ。

私は学生のときからこれを実践している。それぞれの書籍の内容が立体的にくっきり刷り込まれるように脳に入っている。スケジュールも同様だ。

３色ボールペンが持つ特性とわれわれが持つ身体性には、不思議な親和性があるといえるだろう。

忘れられつつある「手書き」の威力

３色ボールペンというのは、主観である緑、客観である青・赤を使い分けることが大切だ。情報の切り分けができない人は怒涛《どとう》のような情報に流されているだけだ。「あなたの好きなものは何？」「あなたが今大事だと思っていることは何？」と問われたときに答えられないのは、情報をしっかり認知していないのと同じだ。

その理由は３色のボックスに切り分けて入れる癖《くせ》ができていないからだ。

３つのボックスに入らない９割の情報については、自分と縁がなかったと思って流す。大事な情報を流してしまってよいのかと危惧する人は、赤の鍛え方が足りない。大事な情報を流さないために赤と青があるのだ。

要約力を鍛えるのも、スピード感が求められる現代には必要な行為だ。情報過多のいま、要約力のある者同士だけが知的で高速の打球を打ち返す高度な打ち合いができる。本質を真芯で捉えるということだ。

ＣｈａｔＧＰＴも２０２３年の３月あたりにさっそく試した。ＣｈａｔＧＰＴに聞いたり、指示したりし続けてみた。するとやはりこちらの理解が深いほうが、ＣｈａｔＧＰＴもちゃんと答えてくれるし、いい子に育つ。聞き方が悪いと、ぼんやりした答えしか言ってくれない。

ＡＩを相手にするのであっても、自分の考えをはっきりさせるということが重要だ。自分は今こう感じている、自分は今こう考えている、だからこういうふうにしてほしいというリクエストをクリアに言える。そのための自分側の準備というのが必要だ。

たとえば会議で「何かこの問題について意見は？」と問われたときに、その場で考えはじめる人というのは、当事者意識が足りない。

当事者意識というのが、この時代いよいよ大事で、その理由は新しい価値を生み出すことが必要だからだ。いろいろなＡＩが出てきて、新たな価値を生み出し続けることが求められる。今後はクリエイティブな仕事もＡＩがこなすというが、クリエイティブな人間に求められるのは、ＡＩにやらせる仕事を見つけ出すことだろう。今後、その内容はさらにクリエイティブになっていくはずだ。

だから、常に心が準備できている必要がある。

その準備、アイムレディな状態を作るのが３色ボールペンだ。

実は３色ボールペンで鍛えられるのは、来た球を打つ、そのための準備が常にできている力だ。絶対めげない、迎え撃つ気持ちが大切だ。

手に真剣を持つかのような心構えが、3色ボールペンの意識だ。ボールペンを使って手が考える。アイディアが浮かばないときは、カフェに入って、3色ボールペンで、緑色でもいいから、字を書きはじめる。そうすると手が考えてくれる。

手を動かすということがどれほどのパワーを生むのか、実はキーボード中心の人は忘れてしまっている。手書きをすることが大事で、たとえスマホで調べても、それをまた手書きで手帳に書き込んでおくとか、メモに書き込む。

手書きをやめるということは、手書きで文字を書いたときの脳に働きかける重要なルートというのを遮断することにほかならない。手から脳への凄まじい刺激というのを遮断した状態で戦うのは、脳にとっては苦しいことだ。手足を縛られた状態で格闘技をするみたいなものだから。

したがって、私はテレビのコメンテーターをやるときも、台本は、全部3色でチェックしたものを持っていく。

情報に流されない身体感覚をつかむ

情報の「ろ過機能」というものを技化《わざか》していくために、3色ボールペンを手に持つという習慣を持とう。そのことによって3色が「技化」してくる。

3色に切り分ける感性、脳の働き自体が技になっていくということが重要だ。デジタル時代だからこそ、アナログな手を使って、紙の手帳に書き込む、紙の本にグルグル巻きで書き入れる。手を使ったやり方が、実は人間が生きていく実感を与えてくれる。

すべてが流されていく時代だ。今日1日いろいろなものを見たけれど、全部自分の外側を流れた気がするという方は、自分の手で刻印を押し、3色ボールペンで刻印を残す。これが生きた証となるのだ。手でチェックするのが速くなると、速読も得意になる。キーワード探しみたいな形で、手が動いてくれる。

身体を使ったことのみが、自分の技になると私は考える。3色ボールペンを使うことで、空前の情報過多時代に対して、自分をフェイクな情報に流されず確立させる。

そうしてぶれない自分ができあがる。
私のかばんの中には常に3本の3色ボールペンがある。
これを50年近く続けている。
その恩恵は計り知れない。
ぜひ、みなさんも試してみてほしい。

第1章

なぜ「整理法」ではダメなのか

「活用」してこそ情報だ

あらかじめ断っておくが、本書は情報の「整理」を目的とする本ではない。もし、身辺に散乱している資料、各種の書類を整理・整頓《せいとん》するために参考にできるのではないかという期待を抱かれている方がいたら、あまりお役には立てないかもしれない。

私は、「情報整理術」とか「情報整理法」の話をするつもりはない。むしろ、これらの言葉には、ちょっとした落とし穴があるのではないかと考えている。

それは、情報の「整理」という面ばかりが強調されてしまうからだ。

「情報整理術」や「情報整理法」といった言葉を聞くと、人は自分の周りの溢《あふ》れ返った情報を〝どうにかしなければ〟と思う。ところが、この〝どうにかしなければ〟は、〝どうにか「整理」をしなければ〟であって、〝どうにか「活用」しなければ〟ではなくなっている。こうした言葉には、「整理する」という行為と、それを「活用する」という行為とを、まったく別のもの、別の行動様式のように捉《とら》えてしまうところがある。

その結果、**「とにかく整理をしないことには、活用もできない」という強迫観念に駆られてしまう――これが落とし穴だと言いたい**のである。

情報は、基本的に活用することに意味がある。だから、それがうまく活《い》かされるのであれば、たとえ整理・整頓などされていなくても構わないと私は考えている。

もちろん、モノがむやみやたらと散乱しているよりは、きちんと整理されているに越したことはない。しかし、情報の場合、それを片付けることが本来の目的ではないのだから、何としてでも整理しなくてはならないという強迫観念から、まずは離れてみるべきだと思う。

この本で私が言いたいのは、自分の周囲に集まってきた情報を、本当に有効に活用するための基本技《わざ》である。

モノを整理する以前に大切なのは、頭の中を整理することだ。本書で取り上げる技は**「脳内整理術」**と言ってもよい。

これは難しいことではなく、常日頃からそういう意識を明確にして「脳のトレーニング」を積んでいくことによって、誰でも自分自身に習慣づけていくことができる。

この本は、そのための思考転換と具体的な方法をまとめたものだ。

役に立たなかった膨大なカード

私自身、整理が苦手だ。研究室も自宅も、相当量の資料が山積している。もっとも、これをあまり不自由だとは感じていない。人から見ればただ散らかっているように見えても、私自身には、だいたい何がどこにあるか把握できているからだ。

だが、整理することに関心がないわけではない。資料や書類をテーマごとに袋に入れておくといったような基本的な整頓法については私もやっている。そういうこと自体が必要ないと言うつもりはない。

私は、**収集したものを、目的も定まらないまま整理分類しようとすることは無意味**だと言いたいのである。

時間をかけて情報をたくさん集めて、それをちっとも活用しない人がいる。学者にはこのタイプがけっこう多い。研究論文をまとめるに当たり、延々と資料に当たり、調べつづける。1年、2年、それでも飽き足らず、3年、5年と調査に時間を費やす。ひたすら調べつづけることが、あたかも非常に価値のあることであるかのように思っている。

しかし、私から見れば、それは資料の中に埋没することで、仕事がはかどっている気になっているだけだ。いつまでたってもテーマが見えず、結論をただ先送りしているだけのケースが多い。

肝心なのは、集めた情報をどういう切り口で分析していくか、すなわち「テーマ性」である。

収集した資料というのは、ただ溜《た》め込むだけでは、本当の意味での情報とはいえない。あるテーマ性をもつことで初めて、単なる資料から有意義な情報に変わり、その情報の価値がクリアに見えてくるのだ。

こういう私自身も、膨大なカード作りに時間を割き、手間ひまをかけた時期があった。分厚い専門書の内容を1枚1枚カードにした。それがどれほど活用できたかというと、実際にはまったく役に立たなかった。完璧《かんぺき》なまでに使わなかった。

その理由として、ひとつには、作成したカードの量があまりにも多いので、検索するのに手間取った。さらに、1枚のカードにまとめられる内容には制限がある。カードに記された断片的な内容を読むよりは、むしろその本そのものを読み返したほうがずっとわかりやすかったのだ。どういう活用をするかを考えずに整理だけをしようとした失敗例である。

カード作りにかけた膨大なエネルギーを思うといささか悔しかったが、以後、私は、情報とは活用法あってのものだという認識を強くした。

もちろん情報活用法・活用術というのは人それぞれのスタイルがあるので、カードを丹念に作ることで活用法が見えてくるという人もいるだろう。あるいは、丁寧に作ったカードがあるからこそ、それをどう使うかが考えられ、あとから有効なテーマが見えてくるというやり方も、スタイルとしてないわけではないと思う。

また、カードにする際、自分で書いたり入力したりするのだから、手を動かす作業をすることによって、記憶の助けになるという人もいる。

そのあたりは個人差のあるところだが、書き写すというかなりエネルギーを要する作業を通して、はたしてそれに見合うだけの記憶が残っているかは疑問だ。コストパフォーマンスとしては、けっして効率の良いやり方とはいえないように思う。

むしろ、本を繰り返し読み込んでいったほうが有益だ。私自身の体験で言えば、自分でカードに書き写した内容よりも、「この話は本の中盤あたり、右ページの何行目あたりに書かれていた」といった記憶のほうが、はるかに参考になった。

本のどこの場所に出てきたかという記憶は、思いのほか鮮明なものである。

整理して活用ではなく、「整理＝活用」に

カードを作成することが、仕事の効率を非常に高める場合も当然ある。

例えば、辞典・辞書作りにはカードが向いている。辞典の項目というのは、あらかじめその辞典にはどういう項目を立て、どういう形式でどんな内容をどの程度の分量で入れるかということが、きわめてクリアに分類されているからである。つまり、カードの使用目的が最初から明確なのだ。

また、並べ替えや差し替えが簡単にできることからカードを採用しようとするわけで、出発点からカードの活用法が見えている。

もっとも、最近は並べ替えや差し替えといったことはコンピュータであっという間に処理できるようになった。しかし、ひとつひとつの項目についてイメージが湧きやすいという点では、カードは大変便利である。

いうなれば、情報の使用目的に即した整理ならば、カードは作成された時点で活用するという目的をもほぼ果たしていることになる。

私の提案する情報術は、活用にポイントを置いている。すなわち、**整理してから活用するというのでなく、「整理＝活用（整理することがそのまま活用になる）」という方法だ。**

整理するときにはもう活用が始まっているというやり方である。

カード作成でしばしば多くの人が陥りやすいのは、「カード作り」そのものに熱中してしまって、肝心の情報を使わずじまいになることである。自分がそれだけの労力を費やしたということに妙な満足感を得てしまい、そこでもう終わったかのような気になってしまう。

だが、情報そのものは単に移し替えられただけで、なお闇に眠ったままだ。自分が何のために、どういうふうにこの情報を活用するのかという考えを抜きにして情報整理に凝ると、こういうことになる。

私はこれを、**情報の「お蔵入り」**と呼んでいる。

資料がどんどん溜まって収拾がつかなくなっているのは、ほとんどがこの「お蔵入り」した情報なのだ。

情報は「お蔵入り」させては意味がない

多くの人が、習慣的に「情報となりそうなものは、とりあえず取っておく。活用するのはあと」にしてしまっている。最悪なのは「整理するのもあと」という考え方で、「とにかく取っておく」というパターンである。

〝とりあえず取っておく派〟は、中身はあとで時間のあるときにゆっくり読めばいいのだから、と考える。とりあえず整理して取っておきさえすればいい、と判断する。

しかし、**「いつか使うだろう」と思って溜める情報というのは、基本的に何の役にも立たない。**

まず、「あとで時間があるときに読もう」という「あとで」の機会など、ほぼありえないと考えるべきだ。

そのための時間を予定に組み込んであるというならいざ知らず、たいていの人には「いつか時間に余裕のあるとき」など、そうはやってこない。アグレッシブに仕事をしている人ほど、日を追うごとに忙しくなっていくもので、先々、暇な時間などできようはずがない。

訪れることがないであろう「いつか」に、「ゆっくり」読むことを想定したところで、実現するわけがないのである。

活用をイメージせずに、とにかくいろいろなものを溜め込んでおくのは非効率的だ。「捨てることはいつでもできるのだから」とよく言うが、ろくに目を通していないその情報は自分にとって大切なものか不必要なものかもわかるはずがないので、溜め込まれたその情報には、捨てるチャンスも活用するチャンスもやってこない。

いざ必要とするときに、

「何かヒントになることがどこかに書いてあった気がする……」

「たしか、どこかにあったはずだ」

これでは、ないも同然である。情報とは、必要なときに活用できなければ何の意味もない。

身辺に溢れているすべての情報を整理・整頓する必要など、もともとないと考えよう。

内容が頭に残っていて、その資料がどこにあるかすぐに引き出せて、活用できるもの――それが使える情報だ。「まず整理してから」とか「とりあえず取っておく」という形で、その情報に触れないままお蔵入りさせてしまうことは、出会わなかったこと何ら変わりはない。

個人における情報の整理分類の仕方は、自分だけが活用できるものであればいい。たしかに図書館のように不特定多数の人が利用する場では、共通のルールが必要だ。共通ルールがなければ、秩序が成り立たなくなる。

しかし、個人における情報というのは、明らかにそれとは状況が異なる。

個人の抱える情報というのは、基本的に自分が使うだけである。他人に提供することがあったとしても、それを選んで人に教えるという行為をするのは自分だ。

集まってくる情報も、人とまったく同じということはありえない。同じ会社の中で、同期入社で、同じ仕事をしていたとしても、AさんとBさんのデスク周辺に広がる資料やモノは、けっしてそっくり同じにはならない。Aさんのもとに集まってきた資料は、今任されている仕事や、これまでの興味・関心のありかといったAさんの個性を反映して、必然的にそこに集まったものである。そこが人間の個性なのだ。

となれば、それを「役に立つ」「これは要らない」「おもしろい」と振り分けるフィルターも、Aさんならではのものになって当然だ。Bさんにとって大事なものでも、同じものがAさんにとって重要とは限らない。それでいい。いや、それが自然な姿なのである。

情報を自分流にどう使いこなすか、そこからどうやって人とは違ったアイディアを生み出していくか。それができる素材が、情報なのだ。だとしたら、自分だけに通用するやり方で情報の取捨選択ができればいい。それが、3色方式情報術である。

誰でもできるが、自分しか活用できない

3色方式については、『三色ボールペンで読む日本語』（角川書店）ですでに世に提示したが、赤・青・緑の3色ボールペンを用いる方法である。その具体的な手法については次章で述べるが、ここではこの方式の特長を簡単に説明しておきたい。

3色ボールペンを使って、客観的に最重要なものは赤、まあ大事なものは青、主観的に大切だと感じたものには緑で、線を引いたり、丸で囲ったりする、それだけだ。

これは誰でも簡単にできる。『三色ボールペンで読む日本語』に書いたように、小学生にやらせてもすぐに慣れる。主観と客観をカチカチ切り替えてチェックしていく。

この方式で読み込まれた資料は、その人にとって固有の情報となっている。だから他人が3色方式で色分けしたものは、ほかの人にとっては使いにくい。読むのに苦痛すら伴うだろう。だが、自分が3色で書き込みをした本は、何度読み返してもより深い意味をもって情報が立ち上がってくる。

本を自分自身にとって固有のものにするのが読書の主目的だ。だから私は、「借り

た本には線は引けない」「本は身銭を切って自分で買うものだ」と説いた。

個人的な情報活用術において、じつはこれが大きな威力を発揮するのである。資料としての客観的な価値を赤や青で示し、自分が興味を抱いた部分、おもしろいと感じた部分に緑を引く。その緑の箇所がそのまま自分独自の視点であり、自分にとって有益な情報となるからだ。

その人の脳というフィルターを通したものは、情報に出会ったその瞬間から、もう整理も活用も始まっている。緑の箇所が多ければ多いほど、それは自分の財産になる。

そして、それを活かせるのは、自分しかいない。

自分の〝内側〟に取り込む

自分の外側にある情報の整理に凝るのはあまり意味がない。

資料には本もあれば書類もある。厚さやサイズもまちまちだ。それをテーマごとに並べようと、時系列に並べようと、本は本棚に、書類はファイルに綴《と》じてキャビネットにというように片付けようと、それは各人のやりやすい形式でいいだろう。

ポイントは、それらの情報を「いつか役に立つかもしれないモノ」として、ただ自分の〝外側〟に累々と積み上げておくのではなく、とにかく自分の〝内側〟に取り込むということだ。

3色チェックをする→それを習慣づける→脳のフィルターを技化《わざか》する。

この繰り返しにより、ある資料を見たときに、それが自分にとってどういう価値をもつものなのかが、自然にかつ迅速に判断できるようになってくる。

情報を溜めておいて、いつか使おうと思っている状況というのは、まだその情報にきちんと接していない。ちらっとだけ目を通して、「これはひょっとしたら何かの役に立つかもしれない」とおぼろげに記憶しておく。あるいは目を通してすらいないかもしれない。それは、その資料がまだ自分にとって〝外側〟にある状態である。

それを意味のある情報にするためには、自分の頭を通して〝内側〟のものにする必要がある。それを怠らないことが大事だ。

自分の頭を通すことを負担に思ったり、面倒がったりしてはいけない。忙しいのに、いちいちそんなことができるようなら、初めから苦労なんかしていないよ――そんなふうにここで放り投げてしまう人には、脳が整理される日は永遠にやってこないだろう。

騙《だま》されたと思って実践してみてほしい。

一度丹念に読み込んで3色チェックをした資料が、その後自分にとってどれだけ価値をもってくるか、この3色方式に疑念を抱いている人にこそ、ぜひとも試してほしいと思う。

ところで、先ほどから私が情報と呼んでいるのは、書籍、論文、資料、各種の書類など、いわゆる紙ものの文字情報を指している。実際には、情報というのは五感を通じてさまざまな形で入ってくるものであって、ペーパーとして目にするものはじつはごく一部にすぎない。

3色方式が実践できるのは、ボールペンで書くことのできる紙だけに限定されるのではないか。そんな心配には及ばない。

3色方式は、技であり、頭のトレーニング法である。**この方式を身につけてしまえば、実際にボールペンを手にして赤や緑で丸をつけたり線を引いたりしなくても、頭の中でスムーズに、ものごとを3色方式で捉《とら》えられるようになる。**自《おの》ずとその勘どころのようなものがわかってくる。

これはけっしてペーパー類に限定された方法ではないのである。

料理でいえば仕込み段階

仕事をしていてよくあるのが、「そういえばこのあいだの会議で話題にのぼったあの話、ものすごくおもしろかったような気がするけど、具体的にどんな企画だったたっけ？」という展開だ。

会議のときには盛り上がっても、一旦《いったん》そのノリが冷めてしまうと、あとから思い出そうとしても具体的なディテールがまったく思い出せないことがある。それがその日の会議の本題にかかわることならば、みんな真剣に聞いたりメモを取ったりしているだろうが、テーマからやや外れたことだったりすると、雑談で終わってしまう。

そしてこうした思いつきほど、あとになって、

「あれ、なんだかとてもおもしろかった気がするんだが……」ということが多い。

これも、資料を自分の〝外側〟に置いている状態と同じだ。おもしろいと感じたそのときに、自分の〝内側〟に取り込んでメモを取っておくなり何なりしておけば、そのアイディアは絵に描いた餅《もち》に終わらない。

情報を取り込むときには、同時に活用が始まっているというのは、そういうことだ。料理で言うと、食材を買ってきたまま冷蔵庫に入れておく状態と、あとは炒《いた》めればいいとか焼けばいいという段階まで仕込みが終わっている状態くらいの違いがある。たしかに、骨を取ったり、皮を剥《む》いたり、下味をつけたりという仕込みは、いちばん面倒な作業でもある。手間がかかる。今は忙しいから、あとでやればいい、と考えがちだ。しかし、そこで手をぬかずに下ごしらえをしておいたものは、今すぐ食べなかったとしても、いつでもすぐに役に立つ。

結果的にどちらが無駄が少ないかといえば、絶対に仕込み済みの食材のほうだ。

私の仕事の鉄則は、**絶対に後戻りしないところまで形にして終えておく**ことだ。素材は、仕込み済みの、焼く寸前のところまで必ずもっていっておく。ほかの仕事でどんなに時間に追われていようが、その企画に実現の見込みが薄かろうが、とにかくそこまではもっていく。

仮にそのときは実現しなくて別の機会に持ち越すことになっても、1度そこまで準備をしておいたものは忘れることはないので、多少時間が空いたとしても問題はない。

3色方式は、「仕込み」だ。情報を読みながら、それを活用するときのことを想定して仕込みをしておくというやり方なのだ。

きれいな資料である必要はない

誤解のないように言っておくが、**情報というのは、モノの制作過程で利用する素材のひとつであって、それ自体を完璧にまとめることが最終目的ではない**。情報を仕込み段階までもっていくのは、活用しやすくするためだ。それはあくまでも素材でしかない。そのことを忘れてはならない。

ときどき、きれいな資料を作ることに非常に執着する人がいる。企画書やプレゼンテーション用資料を書くときには、たしかにきれいでわかりやすいこともメリットになるだろう。しかし、普段の情報術においてはどうか。

例えば、ファイリングにやたらと凝る人がいる。とにかく、資料がきれいに整理されていないと気が済まないのだろう。

あるとき、新たに書くことになった本のために、出版社の人が参考資料をどっさり集めてくれた。大量の資料は、ファイルに丁寧に綴じられた美しい形で私のもとに届けられた。だが、正直なところ私には使いにくくて仕方がなかった。その整理の仕方はその人の基準であって、私にとって使いやすいかどうかを考慮されたものではなかったからだ。

それをファイリングするだけの時間があったのなら、実際にその大量の資料を読んで、これとこれがいちばん参考になりそうです、と選んでおいてもらったほうがよかった。

あるいは、何かというとパソコンやワープロで打ち直しをする人。手書きの原稿、メモ、書類、なかには本の抜き書きまでもわざわざ入力する人がいる。

本の一部だったら付箋《ふせん》を貼るか、さもなくばコピーをとって線を引いておけば充分だろう。だいたい人の手で入力し直すということは、そこにミスが生じる可能性があるわけで、それを元の資料に当たって再確認しなければならないというのは、無駄な二度手間でしかない。非効率なことこのうえないと思うのだが、几帳面《きちょうめん》で真面目な人ほど、こうした罠《わな》にはまりやすい。

学生でもそうだ。きれいなノートを作ることに一生懸命で、そのノートができた段階で満足してしまって、実際にそれを覚えたり理解したりするところまで頭が回らない学生がよくいる。わかりやすいノートを持っていることはいいことだが、ノートをまとめることが勉強ではない。実際に自分自身の知識向上に役立たなければ、それは本末転倒というものだ。

これらはすべて「きれいな資料」を作りたいがための作業だ。その労力は別のところに向けたほうがいい。こうしたものが必要以上にきれいである必要はないのである。

腐らせない、力みすぎない

情報の活用においては、常にタイムリミットを意識したい。

情報は生鮮食品と同じで、ある期間を過ぎると腐る。情報としてそれが意味をもつ期限というものがある。いわば賞味期限だ。

大事に仕舞い込んでおいて、腐らせてはどうしようもない。すでにもっと新しいモノや方法が開発されているのに、それより古い話をいつまでも情報として捉えているようではダメだ。とくにビジネスの場では、有効期限が切れた情報は、何の役にも立たない。

また、活用用途におけるタイムリミットというものもある。

どんな仕事にも、必ず期限がある。3か月くらいで勝負を決する必要があるものもあれば、2年、3年と時間をかけていいものもあるだろう。そのタイムスパンによって、情報の必要度が変わり、情報整理の網の目もまったく違ってくる。

短期間での仕事であれば、必要最小限のエネルギーでどうすれば最速で辿《たど》りつけるかということを考える。すると、そのために余分だと判断される情報はどんどん削《そ》ぎ落としていける。念のために取っておこうという資料は、非常に少なくなってくる。

これがやや長いスパンになると、もう少し角度の異なる情報を細かく集める必要があるだろうし、仕事を進める途中で、常にその情報の賞味期限にも気を配っておかなければならない。

さらに、素材を集めるという準備段階ではあまり力みすぎないことがコツだ。資料をたくさん集めて、ひとつひとつ考察を重ねて、外堀を丹念に埋めていき、いちばん重要な論点を最後にまとめる。——これは、一見きちんとした仕事の進め方のように見えるかもしれないが、ときとしてまったくモノにならないという危険性をはらんだやり方だ。

完全なものにしようとするあまり、外堀を埋めることばかりに時間をかけてしまい、制限時間内についに本丸まで辿りつかなかった、というのが最も愚かしい。途中経過を報告するうえでも、まだ核心部分の見えない仕事ぶりでは、クライアントや上司を納得させることはできない。結果として、もうその人には期限までの大事な仕事は任せられない、ということになってしまう。


大事な仕事は、外堀から埋めるのではなく、本丸から攻める。

要は、途中段階のどこで行き倒れたとしても、なんとかなるような構えで取り組むことだ。そのためにも、情報をいつでも調理可能な仕込み段階にまでもっていくことが大切なのだ。

自分で生み出すトレーニング

インターネットは大変便利なものだが、質という意味では、疑問を抱かざるを得ない部分が大きい。その最大の原因は、典拠の曖昧《あいまい》さだ。

逆に、そこを利用して、安易に「無断借用」をする輩《やから》もいる。

私は大学の学生たちに課すレポートで、それを如実に感じるようになった。どこかのホームページから、部分借用をしてくるのである。

提出されたレポートを読んでいて、どうしてこの文脈でこうした文章が出てくるのかと不思議に思った。明らかにその前後の文章とトーンが違う。おまけに文脈が不自然で、きちんと繋《つな》がっていない。採点を続けていると、別の学生が、この同じ文章を引用していた。さらに少ししてから、またひとり、同じような引用をするレポートに遭遇する。

彼らがその情報を回して示し合わせたのか、それともそれぞれがインターネットで検索しているうちに、たまたま同じ資料に行き当たったのかは知らない。

だが、そういうインターネット上で集めたと思《おぼ》しき情報を切り貼りしてレポートにしてくる事例が後を断たない。

これでは自分の頭を使ったことにはならない。たとえ、もやっとした、拙《つたな》い考えであったとしても、駄文を連ねることになったとしても、**ある情報を自分のフィルターを通して咀嚼《そしゃく》し、そのうえで自分の文章にすることが大事**なのだ。それが脳の訓練になる。

本来、レポートで要求しているものは、そうやって自分の思考を文字化して、何かを生み出すことなのである。すでにある文字情報を右から左に横流しするのでは、トレーニングにならない。

学生の場合、当座はそれでかわしていれば、単位を取ることは可能だ。しかし、この訓練をしておかないと、社会に出て仕事をする段になって致命的だ。自分の考え、自分の意見を自分の言葉でまとめられない人間になってしまう。延《ひ》いては、自分のアイディアというものが出せなくなる。

脳というのは、鍛えなければよくなっていかないものである。

自分で育てていく樹

人間の脳を、「興味・関心」という樹木のようなものだと考えてみよう。根っこもあり、葉っぱもあり、実もつける樹形図をイメージしてほしい。情報とは、そこに磁石のように吸い寄せられていく養分のようなものだ。

例えば、小説を読むのが好きな経営者がいたとする。

仕事で小説を読むということはほとんどないだろうから、それはあくまでも趣味・嗜好《しこう》の分野だ。小説を多く読んでいるからといって、それが直接、仕事に活きてくるようなことはないだろう。しかし、たくさん本を読んでいるかいないかということは、その人の信念や洞察力、包容力といった形で、人間性に結びついてくるものだ。

あるいは、幅広く人間に関する本や資料というものを読んできたことが含蓄となり、その人の人望に繋がって、仕事のうえで大いに活きてくるということもあるだろう。

そういう意味では、その経営者にとって、小説も重要な養分といえる。

そういったものは、一見、情報とは思えない。しかし、そうした養分をふんだんに吸収した樹木はいずれのびやかに成長し、みごとに葉をつけていく。
鍛えずに整理されないままの混濁《こんだく》した脳では、いつまでたっても藪《やぶ》にしかならない。
脳を鍛え、整理するということは、自分自身を立派な樹木に育て上げることなのである。

そのとき、自分の樹木に吸い寄せられなかったものは、縁がなかったということですっぱり諦《あきら》めていい。これは自分で育てている樹なのだから、**自分の頭の中の「関心の樹木」に吸い寄せられてこないものは、もともと縁がないものなのだ。**

それをしっかりと意識化できていると、情報の取捨選択がきわめて容易になる。何かが流れ込んできたとき、これは根っこに行き、これはどの枝に行くべきものであるということが、スーッスーッと自然に分かれていくようになる。

そのためには、**情報を自分の外側に置いておいてはダメだ。**内側に取り込んで、血となり、肉となるようにしていかなくてはならないのである。

第2章

3色方式とは何か

赤・青・緑の使い分け

私の提唱する3色方式情報術は、きわめてシンプルだ。
情報を読むとき、あるいはメモなどに書き留めるときに、3色の色分けをする。その3つの色とは、赤・青・緑である。それぞれの色は、以下のように区別する。

赤――客観的に見て、最も重要な箇所
青――客観的に見て、まあ重要な箇所
緑――主観的に見て、自分がおもしろいと感じたり、興味を抱いたりした箇所

大きくこの3つに分け、例えば会議資料を読むときも、新聞や雑誌を読むときも、常にこの視点でそれぞれの色を使って線を引きながら読む。書き込みをしてはならないもの（図書館から借りてきた本や、契約書のような提出書類といったもの）以外は、すべてこの方式で読み込む。

■3色ボールペンの一例

単に線を引くだけでもいいし、これは、と引っかかる言葉に出会ったら、その部分を丸で囲んでもいい。

私の場合、通常は線を引いているが、気にかかる語句が出てくると、丸で囲っておく。とくに気になる語については、ただ丸囲みするのでなく、グルグル巻きにする。さらに、一文ないしは一段落程度ここは強調したいというところには、まとめて線で囲んで、余白に○や◎をつけておく。こうしておくと、あとから資料を読み返したときに、そこの部分が浮き上がって目に入りやすい。

初めてこの3色方式を紹介することになった『三色ボールペンで読む日本語』には、色の使い分け方が書かれたシール付きのオリジナル3色ボールペンをつけた。

従来から3色ボールペンという商品はあったのだが、一般的なそれは、黒・赤・青の3色だった。そこに緑が加えられたのが4色ボールペンだ。緑が入っていることに「これはいい」と思った私は、長い間4色ボールペンを使っていた。

理由については後述するが、私は黒は必要ないと考えている。4色ボールペンといっても、実際には黒は使わないのだ。私は、あくまでも赤・青・緑の3色にこだわりたかった。そこで、本に特製ボールペンをつけるという画期的なことをしてもらった。

さて、初めてこの3色方式を実践しようとする人にとって、いちばん気楽に線を引けるのは青だろう。最初に赤を出しておくと、資料を読みながら、

「ここはまだ赤を引く部分ではないかもしれない。まだこの先にもっと重要な箇所が出てくるに違いない……」

そんな躊躇《ちゅうちょ》が湧いてきて、なかなか思いきりよく線が引けないからだ。結局、最後まで読み通してから、もう一度戻ってくることになりかねない。仕事の能率を上げるためにこの方法を取ろうとしているのに、わざわざ読み返すことになるのはばかばかしい。

その点、青はもう少し楽な気持ちで引くことができる。青は、比較的大事だなと思うところにどんどん引けばよい。**最初のうちは、「線を引く」という行為にためらいをなくすためにも、多めに引きすぎるくらいがよい。**

「それでは、全部に線を引くことになってしまう」

そんなふうに不安に感じる人は、あとで青線を引いたところが、その資料の要約やあらすじになっているかどうかをチェックしてみる。すると、たいして大事とは思えないところが見えてくる。

赤は、その資料の要点、主旨の部分である。青を引いているうちに、最も肝心なところが見えてくるはずだ。そこに赤を引く。はじめから一気に「ここが赤だ」とわかることもあるだろうし、一旦《いったん》青を引いてから、そこに赤を重ねることもあるだろう。

赤と青を引くときは、ほかの人が読んでもそう思うであろう、という意識で引く。

一方、緑は完全に自分の自由にできる部分である。その話の本筋でなくても一向に構わない。逆に、赤や青と重なったとしても構わない。内容で気になるところでもいいし、好きな言葉や表現でもいい。**とにかく自分の感覚に引っかかるところをマークしておく**。じつは、これがのちのち大きな意味を持ってくるのだが、とりあえずは好きなように、気の向くままにやってみる。あまり厳密に考え込まないことだ。

「ここは赤だろうか。いや緑だろうか。よくわからん……」

そんなことで悶々《もんもん》と迷い、無駄なエネルギーを費やす必要はない。両方引きたくなったら、2色引けばいい。ちょっと違ったかなと思っても、いくらでも修正できるというつもりで、気楽にやる。これだけだ。

なぜ3つに分けるのか？

じつに大雑把な分け方のようだが、方法としてシンプルだから実践的だ。複雑なものは長続きしない。

例えば、3色ではなくこれを12色に分けたら、読解がすごく緻密《ちみつ》なものになるかというと、そうではない。あまり細分化してしまうと作業が煩雑になり、続けられなくなる。

分類というのは、箱が多すぎてはいけないのである。そこに多くの判断エネルギーを使わなくてはならないようではダメだ。分類を細かくしすぎたために、あとになってどこの箱に入れたのか思い出せなくなるのは困りものだ。

なぜ3つかといえば、それは私が**「3」というのは人間の脳に最も適した分類単位**だと思っているからである。

当然のことながら、「1」というのは分類にはならない。

では、「2」はどうか。「2」というのは、じつは危険な分類法である。善と悪、聖と俗、あるいは白と黒でも、右翼と左翼でもいいが、そういった二極構造に陥ってしまう危険性をもっている。思考がそこから発展していかない。「２」は動きが生まれにくい数だといえる。それが二分法だ。

その点、「３」には動きがある。

例えば、**弁証法という思考法**があるが、それを成しているのは「正・反・合」の３つの観点である。中心になる命題があり、それに反対する命題があって、それをもうひとつ高次の次元にまとめあげていく、アウフヘーベン（止揚、揚棄）という思考方法だ。二分化でとどまってしまうのではなく、もう一段高い次元で矛盾を解決しようとすることで思考に動きが出てくる。そして、この弁証法的運動をくり返して、さらに別の考え方に持ち上げていくことができる。

また、**「３」というのは、記憶の単位としてじつに効果的だ。**誰でも覚えられる。しかも、リズムがよい。これが４つになると、急に記憶するのが面倒くさくなる。パッと即座に判断しやすいのも「３」までだ。

そういう意味でも、信号は３色が限界。もし信号が４色だったとしたら、瞬間的な判断に迷って、事故が多くなるに違いない。

こうしたことから、私は「３」という数字に非常にこだわっている。「３は神の数字」

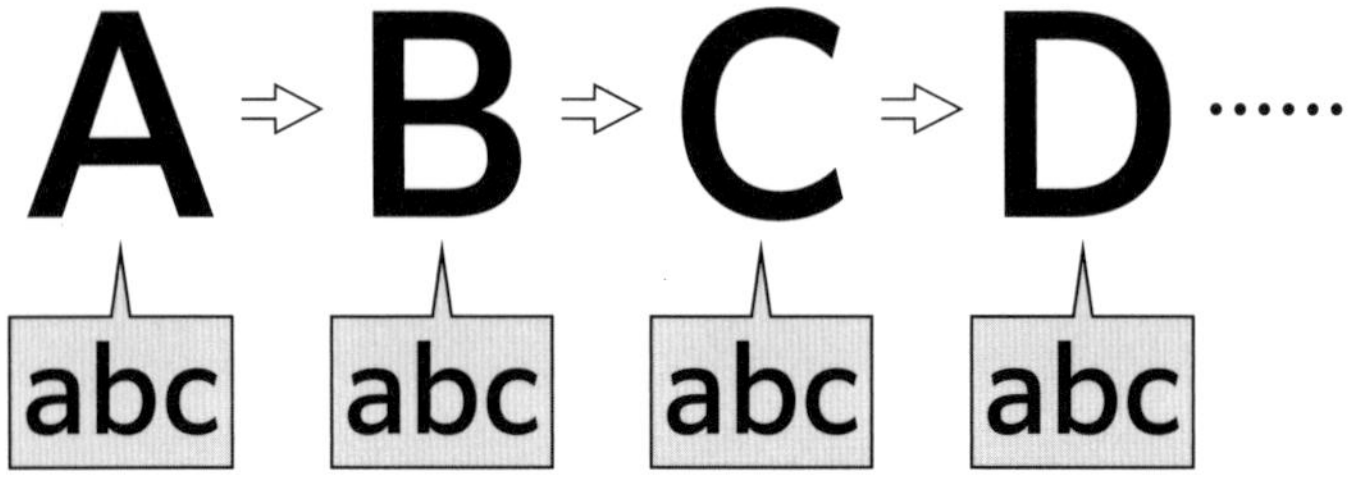

というポリシーのもとに、何をやるのにも「３」を基本にして考えるクセがついている。

例えば、『「できる人」はどこがちがうのか』（ちくま新書）や『子どもに伝えたい〈３つの力〉』（ＮＨＫブックス）では、「まねる（盗む）力」「段取り力」「コメント力」を、時代を生き抜くために必要な３つの力として掲げた。

本書でも、情報を自分のものにするコツとして、「くぐらせる」「立ち上がらせる」「編み出す」という３つの項目に分けて構成した。

この「３項目立て」を基本にすることで、あらゆる仕事の進め方がかなり明晰《めいせき》になってくるはずだ。

「３」より細かく記憶する自信があるという人は、３つに大きく分けたものを、さらに細分化していけばいい。Ａ・Ｂ・Ｃという３つの項目に分けたら、その中をさらにａ・ｂ・ｃといった具合に分ける。Ａ・Ｂ・Ｃ・Ｄ・Ｅ・Ｆ……と分けていくのでなく、Ａ－ａｂｃ、Ｂ－ａｂｃ、Ｃ

—abc……と分けていく。このほうが絶対に頭が整理されやすい。

情報を、川の流れにたとえてみよう。

さまざまな情報が流れ込んでくる。それを大河のままにしておいたのでは、灌漑《かんがい》用水にするにしても使いづらい。そこで、いくつかの支流に分けたい。そのとき分水地点で、この水はこちら、この水はそちらに分けるべきものだ、などともたもたしていたのでは、氾濫《はんらん》して洪水が起きてしまう。支流にスムーズに流し込むためには、手間をかけなくてもそのまま自然に流れが分かれていくような誘導路を用意しておくことが必要だ。

それが3色方式だと思ってほしい。**脳に流れ込んだ情報は、まず、赤・青系の流れと緑系の流れとに分けられる。そして、赤と青とが必然的に自然に分流していく。**これならば、洪水は起こらない。つまり、〝情報洪水〟に溺《おぼ》れる心配もなくなるというわけだ。

なぜ赤・青・緑なのか？

色の記憶というのは非常に強い。

何かを思い出そうとするとき、ある人の着ていた服が何色だったかということは比較的鮮明に覚えているものである。また、あの資料は何色の袋に入れてあるとか、何色の表紙の本だったというように記憶していることも多い。私は、こうした色の記憶というものを、情報術にも活《い》かしたかった。

オリジナル3色ボールペンができるまでずっと4色ボールペンを使っていたが、それ以前は、色鉛筆を用いたり、蛍光ペンを用いてみたりしたこともあった。

赤・青2色が1本になった色鉛筆は、線を引くには問題ないが、すぐに芯《しん》が丸くなるので文字を書き込みたいときに使いにくいという欠点があった。

蛍光ペンも文字を書くのにあまり適していない。鮮やかな蛍光色は目立つし、コピーをしたときに写りにくいというメリットはあったが、文字となると書きにくさばかりでなく読みにくさも伴った。

何より、2色鉛筆ではふたつの区分けしかできない点がネックだった。蛍光ペンの場合は、いちいちペンを持ち替えなくてはならない。

そうしたことを解決してくれたのが1本で何色も使い分けられるノック式ボールペンだった。

3色の使い方について、最重要は赤にするというところに異論のある人はいないだろう。これはきわめて一般的な感覚だと思う。われわれの生活の中でも、とくに人の注意を引きたいところには、たいてい赤が用いられる。

赤でマークするのは、それを落としてしまうと本質を欠くという部分だ。赤と青は、誰が読んでもそう思うという客観的視点でマークするのが基本だが、じつは赤をつけるということは、「これは誰にとっても絶対に重要なはずだ」と自分が強く思っているわけで、そこには個人的思い入れも多分に含まれている。

青の場合はそこまで強くない。とりあえず重要ということにしておこう――そのくらいの冷めた感じが青だ。たくさん引いてもいいが、少しくらい欠けていても大勢に影響はない。それだけに、赤のように強い思い入れを抱かない。**赤を思い入れたっぷりの情熱の色とすると、青は〝脳みそ冷やし系〟の色**である。こうしたやや冷めたスタンスで取り組むところも必要だ。青があるからこそ、思いきって赤が引けることになる。

それに対して、**緑は完全に自由な発想**ができる。自分のセンス、自分のアンテナに引っかかってくるものなら何でもいいからだ。緑というのは、気持ちを晴れ晴れとさせる色ではないかと思う。非常にリラックスできる色だ。

私は、勉強や仕事にも、もっと遊び感覚を取り入れたいと考えていた。それにふさわしい色は緑だと考えたのである。

黒は判断停止の色

私が黒を使わないのは、ひとつには、文字情報のほとんどが黒で書かれているからである。資料のほとんどが黒1色で刷られている。世の中にこんなに色が溢《あふ》れ、広告宣伝パンフレットなどは非常に多彩になっており、色のもつ効果が大いに認められているにもかかわらず、たいていの文字情報がいまだに黒1色だ。書籍の本文、会議資料、新聞、書類……。色がついているのは、たいていがタイトルや見出し、写真や図版といったところだけだ。

その背景には、印刷物をカラー刷りにするとコスト高になってしまうという問題がある。また、大量の文字情報を読むのには、墨文字が最も目に負担をかけない、そういう常識的見解があることも承知だ。

それでも、黒1色には魅力がない、とあえて言いたい。

黒には、そこに誰かがかかわっているという「生きた」印象がない、いわば匿名的な印象だ。ここには何の主観的判断もありませんという無味無臭の色合いのように思われる。

だからこそ、自分たちで読みやすく手を加える意味がある。

私はすでに50年近くこの3色方式を実践してきた。思い返してみると、大学入試の受験勉強をしているときから、この方式を用いていた。現在の3色に固め、筆記具をボールペンに決めるのはもっとあとのことだが、「最重要」「重要」「おもしろい」の3つの観点で捉《とら》えるという発想そのものは、その頃から変わっていない。

完全に、頭の中に3色の発想法が染み付いている。そのため、黒1色の資料を見ると、のっぺりした、何の興味も引かない、つまらない資料に思えてしまう。そこで、すかさず3色方式で読み通して、自分らしいものにしてしまう。

黒い文字の上に、黒ペンで丸をしようが、線を引こうが、それはあまり目立たない。インパクトが弱すぎる。印をつけても、そこが浮き上がってこない。

私から見れば、黒は判断停止の色だ。硬直した脳のイメージと言い替えてもいい。配られた状態のときのまま、何の書き込みもない資料を広げて会議に臨んでいる人を見ると、いったいそこからどうやって意見やアイディアが湧いてくるのかと不思議に思う。

私は書く時も黒は使わない。ノートも書類も青で書く。これまでそれで文句を言われたこともないし、突き返されたりしたこともない。欧米では、正式な書類やサインにもごく一般的に青インクが用いられている。日本には大事な書類や手紙は黒で書くという旧習が根強いようだが、そこにいつまでもしがみついている意義が、私には見《み》出《いだ》せないのである。

脳に覚悟を促す！

もうおわかりだと思うが、従来からある黒・赤・青の3色ボールペンは、この3色方式には向かない。**黒という色の持つ匿名性が効果を半減させる**のだ。

ここに私の提唱する黒のない赤・青・緑の3色ボールペンと、黒のある4色ボールペンとがあったとしよう。両者が同じ値段だったとして、どちらかを選べと言うと、間違いなくほぼ全員が4色のほうを取る。残念なことに、単純に3色よりは4色のほうが得だと考えてしまう。

たしかに一見黒があったほうが便利なようだ。いざというときには黒が使えるという安心感があるからだ。この場合のいざというときとは、判断に困ったときである。「青にしたらいいのか、緑にしたらいいのかわからない。とりあえず黒を使っておくか」

なまじ黒があるばかりに、そんな保険になってしまう。迷ったら黒にすればいいと思って安心してしまうと、判断力が鈍る。黒を使うという行為は、ここで3色に決めるんだという強い意志を弱めさせるのだ。

結局、そこでつい黒を使ってしまう人は、またしても判断の先送りをしたことになる。一度それをやると、意志は崩れていく。判断を怠って黒を使うことがどんどん増えていき、やがて黒が中心になって、ほかの色は黒の付随品になってしまう。黒だけでは判断停止、脳が硬直している状態だといわれるから、ちょっと彩りを添えるためにほかの色も使おう、というに過ぎなくなる。

最初から、赤・青・緑の3色しかないんだ、この3色を使って、この情報をきっちりふるい分け自分の中に取り入れるんだ、という姿勢こそが訓練になる。

分け方そのものはアバウトでいいし、どこをどの色にするかを深く考え込む必要はない。ただし、この方式をやってやるんだという意志を強く持つ。世の中のすべてを3色で振り分けてやるぞ、くらいのつもりでやる。そうすれば、このやり方を習慣づけ、自分の中に技化《わざか》していくことができる。

大事なことは、自分の脳のアンテナを鍛えるということ。

自分の脳を甘やかしてはいけない。

取り組み方次第で、情報というのはいろんな顔をもって現れてくる。

「最重要のところを絶対見つけるぞ」という覚悟で赤を使うことを前提にして読むの

と、「そのうち大事そうな所が出てきたら赤をつけよう」という姿勢とでは、まったく違う。

例えば、ある程度の長さの文章を読んでもらうときに、私は、

「緑・青は何箇所引いてもいいけれども、赤は3箇所だけにしてください」

と言うことがある。すると、大人でも子どもでも、引き方が違ってくる。読み方が違ってくる。気合いが入る。緊張感が出る。

延々と赤を引いてしまうのも、ルーズなことだ。放っておくと結局赤を引くだけの勇気がなくて、赤を引かずじまいにしてしまうということもよくある。そこをしっかりとつかまえてもらうために、

「必ず3箇所には引いてください」

と言うと、みんな非常に真剣な面持ちになって考える。勝負を賭《か》けるようなイメージで赤をしっかり引く。強い意志でその情報に向かうクセがついてくる。その自分を賭ける、勝負を賭けるという姿勢の習慣づけが重要だ。

情報というと、非常に淡々としたイメージがある。自分の外側にある、冷えたもの。それが情報という言葉のまずさだと私は思っている。その**情報を自分用に組み替え、生き生きとしたものにしてしまう、そのための道具が、この3色ボールペン**である。

「技」にする、「技」を磨く

女子中、高校生に多いが、非常にカラフルなサインペンを5色、6色、あるいは10色以上使っている姿をよく見かける。あれでは自分の脳の働きを活性化させる効果がむしろ薄れる。なぜなら、彼女たちのほとんどが、カラフルできれいに見えるから、という非常に単純な気持ちで色を使っているだけだからだ。勉強がおもしろくないため気晴らし感覚で、ただ多彩な色分けを楽しんでいるだけだろう。色分けが脳の訓練になっていない。

色に意味をもたせ、色分けするという行為を、脳が自然に行えるように習慣づけることが大切だ。

例えば、ソロバンと電卓を比較して考えてみよう。ソロバンは持ち運びのできるシンプルな道具である。電卓もさらに小型軽量化した非常に便利な道具である。しかし両者には決定的な違いがある。

ソロバンは習熟すると、その場に実際に道具がなくても、指を動かしているだけで計算ができる。脳の中で、カチカチカチと珠《たま》を弾《はじ》いて、暗算をすることができるようになる。ソロバンを覚えることにより、脳は鍛えられ、それが「技」となる。

一方、電卓の操作性はじつに簡単で、誰でも使うことができる。しかし、あの薄い小型機械の中で行われていることは、使い手には見えない。瞬間的に処理する計算だったら電卓のほうが速いが、どんなに便利であっても、電卓を持たずに計算ができるようにはならない。電卓は人間の脳を鍛えてくれる道具ではない。

現代日本は、脳を鍛える道具や方法に対して、あまりにも価値を認めなさすぎると思う。こうした脳みそを鍛えてくれるものを、もっと大事にすべきではなかろうか。

3色ボールペンは、ソロバンと同じく脳を鍛える道具である。脳を鍛えることにより、「技」になる。習熟すると、ボールペンを持っていないときでも、ああ、これは緑、これは赤というふうにパッと頭の中に整理がつくようになる。

映画を観ていて、ここはこの映画の青の部分だ、ここが赤だ、ここに緑をつけたいなあと、次々と頭の中に浮かぶようになれば、この3色方式を自分のものにできたといってよい。

このような、自分のものにできるというところまでもっていくことを、私は**「技化する」**と名づけている。

技化するために必要になるのは、頭の良し悪しではない。強い意志で臨み、怠けず根気よくやりつづけ、途中でへこたれないこと。身体トレーニングと同じである。鍛える部位が頭だというだけのことである。

3色方式には、資料を読むとき、何かを書くとき、話をするとき、主観と客観をきちんと分けることができるようにする、という大きな狙いがある。脳にそれをインプットし、学習させるのである。

赤・青・緑の3色を使うのであれば、3本のペンを持ち替えるのでも同じだろうと思うかもしれないが、それは違う。**1本のペンに3色が入っていて、それを切り替えるという行動様式そのものに意味がある**のだ。

ペン先をカチッカチッとノックして違う色に替えると同時に、**脳の主観と客観を切り替える（＝スイッチする）という感覚を鍛えている**からだ。ペンを置いたり持ったりするのでは、思考のスイッチを切り替えることにはならない。脳のスイッチ切り替えという「技」を磨いていることにならない。

私は『天才の読み方』（だいわ文庫）という本で、いわゆる天才と呼ばれる人の特徴を考察してみた。それでわかったことは、天才というのは、脳みそが混濁していない、整理されきっている、ということだった。

天才というと、破天荒で何を考えているのかわからない人、それゆえにとてつもないものを生み出す人という印象があるが、じつはそうではない。

モーツァルトやベートーヴェン、あるいはピカソでも、アインシュタインでも、イチローでもいい。彼らがただなんとなくもやもやした混沌《こんとん》の中から、何かを生み出しているわけではないということは、その仕事ぶりからわかる。偶発的に何か優れたものを思いついたというくらいでは生涯にひとつかふたつ程度の業績を残すのが関の山だ。だが、天才と呼ばれる人たちは、たいてい驚くほど多くの仕事を残している。

それがこなせるのは、**頭の中がみごとに整理されていて、自分のやっていることをきわめてクリアに意識できている**からだ。そして、常人が及びもつかないようなハイレベルのことを考え、その中で悩んだり模索したりしているのである。

いきなりそうした天才たちと肩を並べることができるわけはないが、脳を鍛える技によって、整理された混濁していない脳みそにしていくことは、誰でもできる。

緑は香辛料、加える量を間違えないこと

日本では、主観と客観をきちんと分けて話すことのできる人が意外に少ない。ほとんどの人が、主観と客観をまぜこぜにして話をしていることに、あまり気づいていない。

赤と青を「ほかの人が見てもそう思うであろう」という客観的な見方としたのは、社会で求められるバランス感覚に配慮したものだ。

仕事の中で、何か新しい企画を立てるとする。自分は非常にいいアイディアだと思うのに、周囲は同調してくれない。すげなく却下されてしまう。

このような場合に考えられるのは、ひとつには、冷静かつ客観的に見たら、それはけっしていい企画とは思えない、ということがある。おもしろがっているのは自分だけ、それに気づかないということだ。その原因は、ほかの人の思考法だとか、それまでの経緯を的確に把握できていない、すなわち客観性に乏しいせいかもしれない。

あるいは、いい企画ではあるけれど、説明方法がよくなくて、みんなに理解しても

らえないということもあるだろう。さまざまな文脈を押さえながら、誰にでもわかるように説明をしなくてはならないといったときに、独りよがりな主観しか述べないのでは説得力がない。やはり客観的分析力が欠如している。

何度企画を出しても通らない、俺は才能があるのに、会社はそれを認めてくれないと思っている人の多くは、頭が緑色だけでいっぱいの人だ。

自分だけの感覚、自分だけの発想では、社会のシステムに乗って世の中を渡っていくことはできない。かといって、赤と青がいかに的確であっても、緑の部分のないアイディアにはおもしろみがない。

社会的動物として現代を生きていくには、主観と客観を分けて考え、理解し、バランスよく発揮する力が必要とされる。

けっして王道を行くというようなアイディアではないけれどアグレッシブで、ちょっとリスキーではあるけれどおもしろいというようなものが、緑の発想からは生まれてくる。その緑色の部分がなければ、おもしろい仕事には展開していかないのだが、そのおもしろさをうまく文脈に乗せていくためには、赤と青という〝客観系〟の力が必要になる。

緑の要素というのは、ちょうど香辛料みたいなものだ。意識してうまく入れ込んでいくと、料理の味を抜群に引き立てる。だが、ちょっと量を間違えてたくさん入れすぎてしまうと、その香辛料の味ばかり強くて、食べられない代物になってしまう。

では、どのくらい振りかけると、ほどよい美味《おい》しさの料理になるのか、それを考えればいい。3色方式は、そういう能力、バランス感覚を養うための訓練でもある。それは仕事の効率を格段にアップするものとなるだろう。

3色方式は、一度やったら止められない。なぜ今までやらずに平気だったんだろうかというくらいだ。

私は手帳も3色で書き込んでいるが、もしこれが黒1色だったら、きっと約束を見逃して、人に迷惑をかけているに違いない。手帳こそ3色方式が最も活きる。

また、大量の資料に当たるとか、ノートを取るとか、さまざまな場面でも3色方式は高い効果を発揮する。とりわけ、ビジネスシーンに必要不可欠な能力を鍛える。

次章から具体的な方法論を述べていきたい。

第3章

くぐらせる

——情報との出会い方

自分をかかわらせる

ここまでの説明で、3色方式の特徴についてかなりわかっていただけたことと思う。ここからは、実際にこの方式で情報に接するときに、どういう着眼点でどのように行っていくかについて解説していきたい。

「第3章　くぐらせる」「第4章　立ち上がらせる」「第5章　編み出す」の3章はセットになっている。各章のタイトルにこのように動詞を用いたのは、情報とのかかわり方を、自分自身の主体的な〝動き〟として捉《とら》えてもらいたいと考えたからだ。3色方式で情報の整理活用をするに当たり、それぞれコツとなる動きをこのように名づけてみたのである。

まずこの章では、**「くぐらせる」――情報を自分の中にどのようにして取り入れていくか**、ということについて述べたい。

これは、情報との出会い方である。

再三言っているように、私は、情報は自分の外側に置いておくのでなく、自分の内側に取り込まなくては意味がないと考えている。また、情報というものは、受動的に受け留めるものではなく、能動的に、こちらからアプローチして手に入れていくものであるという信念を持っている。

さらに、現状として文字情報の多くがそうであるからといって、いつまでもただ黒1色の無味乾燥なものにしておいては効率が悪いとも思っている。そこに息を吹き込み、色をつけ、活かす。それが、「資料」を「情報」へと活性化させる第一歩である。

自分の外側の情報を、外側で動かしていくというやり方もあるにはある。それは「事務処理」のように、どこか冷えた構えで、淡々とその物事の始末をつけるというやり方だ。「処理」という言葉には、ネガティブで、冷めた感じがある。そこに自分というものをかかわらせずに、義務で仕方なくやっているようなイメージがある。

だから、私は「情報処理」という言葉が好きではない。情報に自分をかかわらせずに始末してしまったら、そこからは何も生まれない。自分は今、この情報を処理しているんだと思いながら、その情報を活用することなどできるだろうか。

3色方式において、赤は客観的に最も重要、青は客観的にまあ重要、と定義づけているが、この赤と青をマークするだけなら、自分を深くかかわらせなくてもできる。文章の読解力、要約力があればいいからだ。

しかし、**赤と青だけで読んだ資料というのは、どんなに要点が押さえられていてまとまっていても、自分の中に残りにくい。**感性を通していないからである。緑というのは、自分の感性の部分だ。そこを働かせるか働かせないかというのが、その**資料を自分の〝外側〟に置くか、〝内側〟のものとするかの差**である。

もし、その資料にいくばくかでも興味を持てば、自《おの》ずと緑が入ってくるはずなのである。逆に、緑がないということは、「引っかかり」が何もないということになる。そういう情報が、自分にとって大切なものになりうるだろうか。後々、何かのヒントとなるだろうか。

もちろん、緑は個人差が著しく出る部分なので、それが自分にとって興味が持てないものであっても、ほかの人にとってもそうだとは限らない。だが、3色方式で判断をするのは、ほかの誰でもない、自分自身だ。自分にとっておもしろくもなく、引っかかりもないものは、自分の役に立つことはないと断言してもいい。

ただ読むだけならば、自分をかかわらせるという意識を持たなくてもできる。しかし、その資料は自分にとって単なる資料で終わってしまうに違いない。

情報は「活《い》かしてこそ」のものである。そのためには、いかに積極的に自分をかかわらせていくかが重要になってくる。

情報とは一期一会

「百聞は一見に如《し》かず」というように、初対面の人から受ける刺激は大きい。情報についても人との出会いと同じで、初めてそれに接するとき、すなわち初見が大切である。

これは何だろう、どんなことが書いてあるのだろう、という好奇心や期待、あるいは不安感というものが、脳を非常に活性化させる。そのときに受けた鮮烈な印象に勝るものはない。

ところが、文字情報というのは、いつでも読めると思ってしまう。1週間後でも、1か月後でも、1年後でも、捨てずに取っておく限りはいつでも読めそうな気がするので、つい出会いの瞬間をないがしろにしてしまう。

では、そう思っている資料を本当にあとから読むかというと、ほとんどの資料は読まずに終わる。つまり、今求められている以上にこの資料を読むことが求められることは、きわめて少ない。にもかかわらず、あとで読めばいいとか、いつかまた見るだろうと言って、せっかくの出会いの機会をすれ違い程度で済ましてしまうのはもったいない。

情報との出会いも、一期一会だと思うことだ。**この情報とは、この瞬間を逃したらもう会えない、今日を限りにもう一生出会うことはない**、そのくらいの気持ちで接する。

この覚悟がないと、なかなか情報と深い交わりを結べない。

「好球必打」という言葉がある。文字通り、よい球を逃さずに必ず打つという意味だが、王貞治さんはまさにこの好球必打の人だった。私は昔からスポーツ少年で、プロ野球も大好きでよく観ていたのだが、王がバッターボックスに入って、チャンスボールを見逃したり打ち損じたりするところを見たことがなかった。そのうちに、ピッチャーが投げた瞬間に、テレビを観ている私たちにも「あっ、これはホームランになる」とわかる。打つ前からわかる。そのくらいすごかった。

野球では、打者はひと試合に何回もバッターボックスに立つわけだが、もう一度いい球が来るとは限らない。いや、同じようなチャンスなど、ほとんどありえない。王は、いつか来るであろうチャンスを狙っていたわけではなく、いつ来ても打てるようにして臨んでいたのだ。常に、**「来たら必ず打つぞ」という構えでいたから、本当に**

いつでも打てたのである。

われわれも、今その情報が目の前に現れたということは、情報と自分との関係において、これが最大のチャンスなのだ、ベストの瞬間なのだと考えてみる。そのつもりで、3色を用いながら、脳を働かせながら、読む。新聞記事であろうと、会議資料であろうと、趣味で読む本であろうと一緒だ。

出会ったときがいちばんのチャンス、もう2度と見ることはないかもしれない、そう思えば、ちらっと見て放り出すようなことはできなくなる。

ただし、身の周りのすべての文字情報をそうやって読むことはない。それでは時間がいくらあっても足りないし、1日中、そんなに集中力を持続させていることもできない。出会わなかったものは縁がなかったものと諦めることも必要だ。

例えば、毎朝、新聞の隅から隅まですべて読み尽くす人はいないだろう。読んでおいたほうがよさそうな記事、読みたいなと思った記事、自然に目に飛び込んできた記事……そういったものを拾い読みするのが普通だと思う。そのスタイルを変える必要はない。それ以外の目に止まらなかった記事は、初めから自分とは縁がなかったと思えばいい。書店で手に取らなかった本のようなものである。要は、きっちり自分の内側に取り込むものと、そうでないものとのメリハリ、濃淡をつけることだ。

よく、最初に読んだときはこの本の良さがわからなかったが、何年か経ってわかった、というような話を聞くが、はたして本当にそうだろうか。

それは、その本が、もう1回読む気になるような何らかのインパクトを最初の瞬間に残しているからではないかと私は思う。あらためて読み返す本というのは、人にもよるだろうが、そうは多くないはずだ。100冊のうちの数冊、あるいは数十冊に1冊というようなものではないか。そのわずかな確率に当たった本なのだから、きっと初見のときから何かが引っかかっていたに違いない。

ちなみに、私は本を読むときにもずっと3色方式を実践しているので、あとで読み返したら印象が違った、ということがほとんどない。3色に振り分けてマークしてあるところを見返して、ヘンな引き方をしていたと思うことはほぼない。新たな関心事ができて、ここにも緑色を引きたいというところはあるが、それ以外は変わらない。常に、この本を今以上真剣に読む機会はもうない、そう考えながらやっているからだ。

「くぐらせる」とは？

合気道では、受けと攻め、相手の技を受けるということと、自分が攻めるということが、行為として一体化している。相手が攻めてきた隙をとって、角度を変えて受けたときにはもうそれが攻めの技になっているという形だ。

3色方式も、情報活用をこの形でやろうという発想である。では、情報術においては、それはいかなる技を使えばいいのか。第1のポイントになるのが「くぐらせる」ことである。

ある資料がある。赤・青・緑の3色ボールペンを持って、頭を切り替えながら読む。このときに、**脳の論理的思考力や感性を掌《つかさど》る部分を使って、自分の脳の海のようなところに1度それを浸《つ》け込むようなイメージを、私は「くぐらせる」と表現している。**

どこをくぐらせるのか。基本的には脳の「暗黙知」の部分である。

暗黙知というのは、経験的な知の蓄積といってもいいと思うが、自分が世の中に生まれ落ちてからこれまでに積み重ねてきた知識や経験というものを指している。そこには本人もすべてを意識化することのできないような非常に多くの事柄が潜在しており、それがひとつの大きな海のようになっているとイメージしてほしい。

じつは、暗黙知の海は魚の宝庫である。ところが、どんな魚がどれほどいるかわからない。その暗黙知の海に、外部から入ってきた情報をグッと浸けてから引き上げる。ちょうど投網漁の網のようなイメージだ。

暗黙知というのは、ふだんはほとんど意識できてはいないものなのだが、何かきっかけを与えられれば、「ちょっと引っかかる」といった具合に、何らかの感触がある。新たに入ってきた情報を、その暗黙知に浸けたとき、網を用意しておけば、そこに反応するものを察知することができる。そうすれば、いずれその網にかかった魚が何なのかがわかるし、それを捕まえることもできる。網を用意していない状態では、魚が引っかかることもなければ、魚影に気づくことすらできない。

暗黙知は、非常に幅が広い。これまでの経験からくるものである場合もあれば、知識や研究の積み重ねである場合もあるし、興味・関心・嗜好《しこう》といったものの場合もある。自分自身で気づいていなかったことを、暗黙知が知らせてくれるといったこともある。はっきりわかっているのは、自分に何の用意もないものは引っかかってこないということだ。

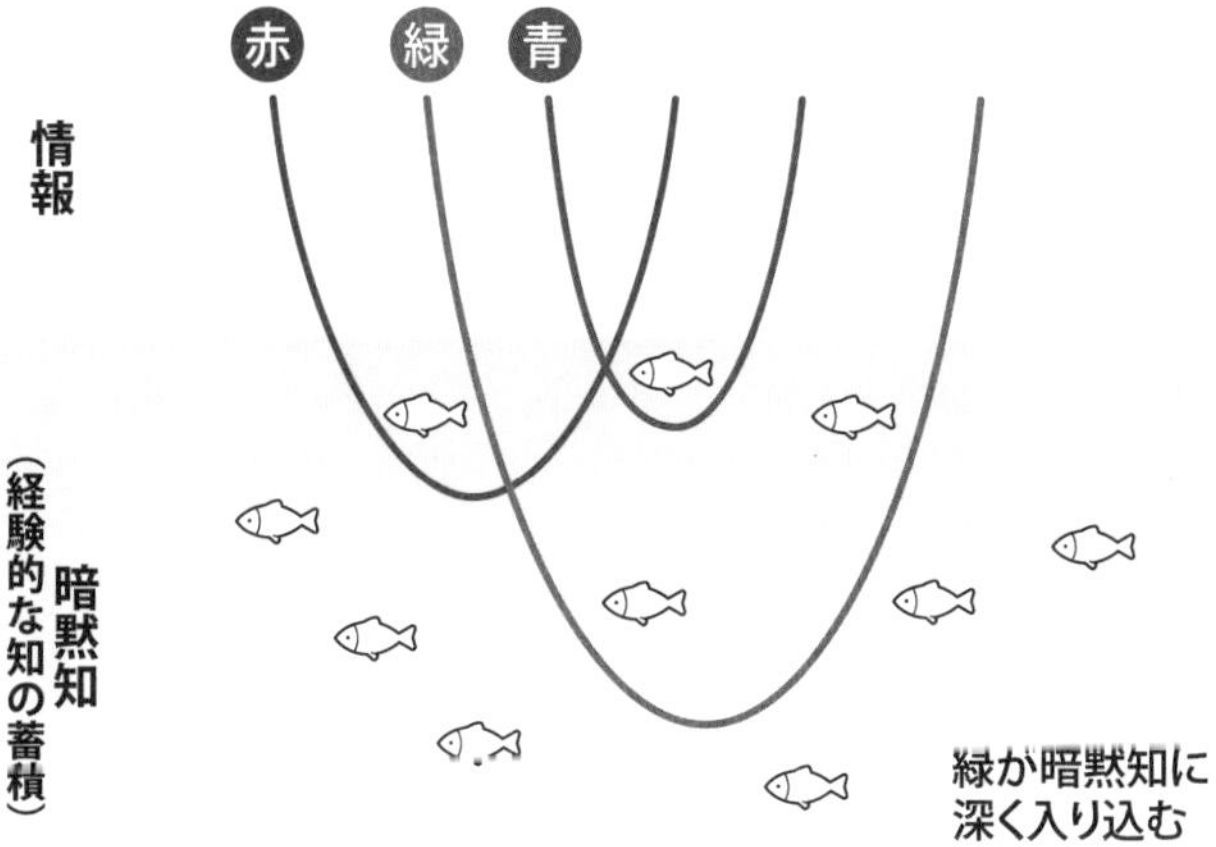

私たちは、その資料を自分とかかわりあるものと思ったときには深く入り込むが、自分の外側にあるもの、自分とはかかわりのないものと思ったときには、冷えた構えで処理する。

感性をくぐらせていない資料は自分の内側に残らないので、後々深いところで活用するようなことができない。

心の琴線に触れた何かというのは、そのときは意識することができなくても、あとになって気づくようなヒントをたくさん含んでいるものだ。だから、感性をくぐらせないということは、そうしたヒントの萌芽《ほうが》をあらかじめ捨ててかかっているに等しい。結果的に、そこから得るものが少なくなる。

暗黙知をくぐらせる――何やら難しいことを言っているように思われるかもしれないが、3色方式を実践して、情報のひとつひとつときっちり出会うということをしていれば、それは必ず「技化《わざか》」していく。

仕事に活かす青と緑のバランス

ときには、誰が見ても緑を引くところがないという資料もある。

私は仕事柄さまざまな会議に出るが、官公庁の資料にはそれを感じることが多い。見るからに、人を寄せつけないようなオーラを発している。

もちろん統計的なデータなどは、何の作為性もないことが必要になってくるが、一般的な文書なら、なぜもう少し濃淡をつけないのか、そうすればもっと読む気が起こるのに、と思う。これはちょっとユニークな発想だな、というような要素が少し入っている資料のほうが、会議の議論も盛り上がり、生産性も上がる。一見、感性などあまり必要としないかのように思える堅いお役所資料にも、じつは緑の感覚が多少なりとも必要なのである。

国語の教師の中には、「自分の主観を交えずに読むことが必要だ」と言う人がいるが、私から見れば、それはいささか間違った見解だ。

本当に大事なのは、**主観と客観をきちんと分けて認識ができ、主観をコントロール**

することだ。これは主観だと意識できることであって、それをかかわらせないことではない。だから、「自分の主観ばかりでとらえずに、客観的視点とのバランスを取りながら読むことが必要だ」と言うべきではないかと思う。

3色方式を提唱し、この発想法が骨の髄まで染み付いている私には、主観を交えない、すなわち緑のない読み方というのは考えられない。

前章で、緑は香辛料のようなものだから、振りかける量を間違えてはいけないという話をしたが、まさに要《かなめ》になるのはバランスである。

会議資料として、ある同じ資料を要約力の高い5人の人に配布したとする。その文章を、青の箇所だけに留意して読ませると、そこはほとんど一致する。5人がみんな自分をかかわらせずに読んだだけなら、そこからは斬新《ざんしん》な意見は生まれにくい。

しかし、暗黙知をくぐらせる読み方をしたらどうか。その資料との出会いの角度がそれぞれ変わってくる。**個々の人生経験や仕事の蓄積によって、網の目にかかってくるものも違う**。だから、そこから生まれる意見というのは、5人いたら5種類の違ったパターンになる。

何人かで仕事をする、会議でみんなが意見を出し合うことのメリットはそこにある。

ただし、そのときに前提となるのは、赤と青の部分がきちんと共有できるということだ。

3色で資料に線を引いたとき、緑はそれぞれ個別に思うままに引いて構わないが、赤と青はポイントがずれすぎてはいけない。青の若干のブレくらいなら許容範囲だが、赤や、青の大半がずれているということになると、その人はその資料を正しく読めていない、正しく理解できていないということになる。試験問題の意味が理解できなければ、問題を解くことはできないのと同じで、これでは困る。

青をある程度きちんとチェックできないと、理解力に隔たりが出すぎて、会議でも話がまとまらない。一緒に仕事ができないことになる。だから、赤と青の客観的能力も鍛える必要があるのだ。

青と緑のバランスでいえば、何度出しても企画が通らないという人には、2パターンある。

ひとつは、自分が緑ばかりを主張していることをわかっていない人だ。今、どういう流れ、どういう文脈で周囲が動いているかが見えていない。それは、赤・青系の把握能力が低いということである。こういう客観系の能力のない人というのは、どんなに緑のセンスがあっても、それを仕事に活かせない。

もうひとつは、青系統だけの案ばかり出している人だ。

テレビや出版関係のプロデューサー的立場の人や広告代理店の人と話していてよく感じることだが、これは自分だからこそ出せた企画だといったものがない提案には、強さがない。自分をくぐらせていないからだと言えるだろう。クリエイティブな仕事になればなるほど、緑が要求される。青系統だけでは、多くの人をおもしろがらせるようなインパクトのある企画にはならない。

緑ばかりの独りよがり企画もまずいが、青系だけでいい企画が成立すると思うのも甘いといえよう。

仕事ができる人というのは、社会から求められている文脈の中で、自分のポジションを、冷静に見ることができる人が多い。そして、客観的な状況という文脈と、主観的な自分のアイディアという文脈を、巧みに組み合わせることのできる人である。

主観・客観の文脈をクロスさせる

主観と客観をうまく組み合わせることができるということとは、言葉を替えれば、「文脈をクロスさせる」ということだ。つまり、自分が持っている暗黙知の文脈と情報のほうが持っている文脈をクロスさせて、出会わせるということ。

情報というのはそれ自体が孤立してあるのではなく、情報が生み出されてきた文脈というものを持っているのが普通である。それはどういう事情で生まれてきたものなのかとか、何を目的にしているのかという流れが当然ある。完全にバラバラな状態ではなく、それ自体が文脈を持っている。

赤・青を的確に引けるということは、情報の持つ客観的な価値、生み出されてきた過程と目的性をきちんと認識しているということだ。

しかし情報の持つ文脈だけで処置してしまうと、どうしても情報というものを深く活用するまでに至らない。あらかじめ想定された目的から1歩も先に進めない。こうした資料の読み方が習慣化してしまっている人は多い。この状態では、じつは脳をほ

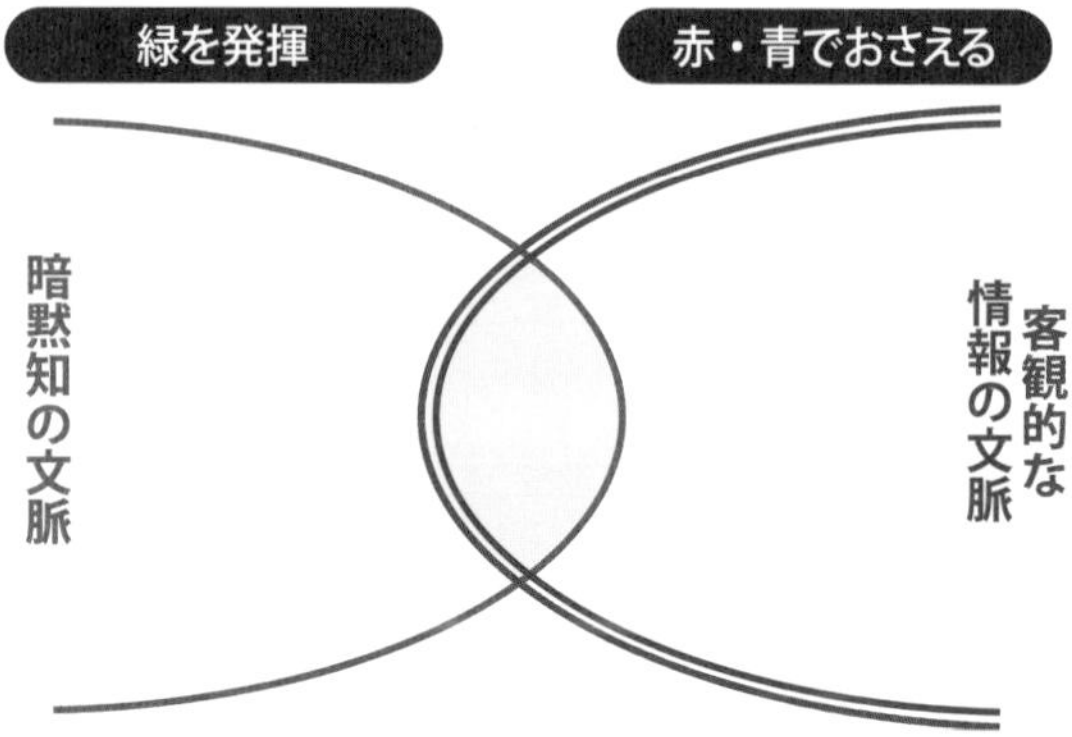

資料の中の客観的文脈と
自分の個人的な経験世界の文脈をクロスさせる

とんど稼動させていないといってもよい。**自分の文脈というものを、情報にクロスさせることで初めて、出会いの座標軸は定まり、座標の点は固有のものになる。**情報は人の暗黙知と出会うことで固有の価値を持ちはじめる。

これが本質的な**「仕事の仕込み」**である。情報は自分のものとなり、いつでも活用可能な状態になる。

だから自分の文脈をかかわらせない情報処理の仕方では、誰にとっても同じ青1色の世界だ。それだけだと、どうしても自分が主体的にかかわる仕事には繋《つな》がらないだろう。その人でなければできない、生み出せない仕事というものにならない。**出会った情報に、その人固有の価値を持たせる。**これが本質的な情報との出会い方なのである。

「引っかかる」感覚は磨けば光るが、さびもする

暗黙知をくぐらせることで、何か「引っかかる」と感じるものがある。もともと、これはどんな人にもあるものだ。そして、この**「引っかかる」という感覚自体、磨くことによって、もっともっと伸ばしていけるもの**でもある。

だが、この感覚はずっと使わずにいると、さびついたり磨《す》り減ったりしてしまうものでもある。

3色方式を試しにやってもらって、緑が引きにくいと言う女の人にあまり会ったことがない。女性は、総じて緑のセンスがよい。

一方、男性の場合は、緑は引きにくいと言う人が多い。とりわけ、30年、40年と会社勤めをしてきて、近年リタイアされた男性などは、たいていの方が緑は苦手だと訴える。

これは、ひとつには日本企業という土壌の問題であると私は思っている。

長年、企業社会の中にいて、常に、会社としての判断、社員としての判断ばかりを

求められつづけていた人は、自分の考えを出す、自分の個性を出す、という機会が少なく、いつしか自分の感性というものの出し方を忘れてしまうのではなかろうか。

企業人といっても、例えば本田宗一郎みたいな存在というのは他から抑圧を受けないので、感性に引っかかるようなものがあれば、それを徹底追求することができる。

ところが、そんな立場にいる人はひと握りだけだ。多くの会社員は、何かアイディアを出しても潰《つぶ》される、意見や考えを言うと否定される、といったことの連続で歳を重ねていく。あるいは責任を取ることを恐れて自分の感覚を前面に押し出さない。そういうことをずっと繰り返していくうちに、自分の中で引っかかったものを大事にするという習慣を、だんだんなくしてしまう。

今の中高年層というのは、会社第一主義で経済成長期を突っ走ってきた人たちばかりだから、自分の感性を培うような趣味に興じることもあまりないままに生きてきたはずだ。それでは感性は磨かれようがない。気がつけば、引っかかりを感じる感覚がさびてしまっているか、すっかり摩耗してしまっていた、そんなことが考えられる。

それは、ご当人が悪いというよりは、そういうシステムになっている企業体質の問題とも言える。

とにかく、引っかかるという感覚は、放っておけば鈍ってくるが、意識してやっていれば伸びる。

私は緑が引きにくいという男性には、

「これからもう1度、その感覚を呼び覚まして、伸ばしていきましょう。**これは技ですから、訓練すれば磨けますよ**」

と言っている。

それにしても、各自の引っかかりの感覚を伸ばそうという意識のない企業は、先行きがあまり明るいとは言えないだろう。

勘や感覚を技化させるためには

引っかかる、感覚、感性……これまで私はこういった言葉を頻繁に用いてきた。ここにさらに、勘という語を加えてもいいが、これらを何だかよくわからない場当たり的なもの、いいかげんなものと捉えないでほしい。

人間には、勘や感覚といったものを働かせやすい心身コンディショニングというものがある。勘を働かせやすい状態にコンディショニングし、何度も何度もやっていると、それが習慣になる。そして、いつでも勘を働かせやすい状態に自分をもっていくことができるようになる。それが**感覚の技化《わざか》**だ。

逆に、主観的な感覚は使ってはいけないとか、勘でものを言うななどと言われて、ずっと勘を抑え込んでいると、どんどんその機能が衰えていく。

会社員でいえば、学校を卒業して、会社に入り、仕事を覚える。20代では仕事は覚えるが、まだ下っ端だから、感覚的に抑えつけられることが多いだろう。そのうちに会社での地位も上がってきて、30代くらいになると、自分の感性が少しは自由に活かせる時代が来る。ところがそのときに感性が錆びついていると、これからというときに新しい企画、新しいアイディアを生み出せない。勘を活用する心身のコンディショニングを維持していないと、ただのつまらないオジさんになってしまう。

感性というのは生まれつきのものではなく、感性を働かすという技をもっているかどうかが重要である。感性が鋭い人、鈍い人という分類よりも、感性を働かせる習慣がある人、ない人と分けたほうがいいだろう。

詩人とかデザイナーとかは、そういう習慣がある人だ。もともと感性に秀でた一面があるから興味を持ったのだろうが、それが好きで何度も何度もやっているうちに、やがてそういう頭の働かせ方が習慣になる。緑で物事を見る。すべての物事を、自分なりの緑で見るということが習慣化されて、技化されているのだ。

そういう仕事の人は、無意識ではなく、全部意識化してやっている。自分の緑色はどういうものかわかっているから、それを作品化できるのだ。ただ感じているだけでは、作品にならない。

そういう意味では、自分に何かが引っかかってくるとき、その感性という網の目のほうを意識的に感知していくことも大事だろう。網のほうを鍛えていく。資料とか情報というのは、感性を広げていくための道具である。

女性のほうが発想が柔軟

私の感じるところ、どうも女性のほうが柔軟なようだ。緑のどんどん引ける女性は、いろいろなところから暗黙知を引き出して、ユニークなアイディアを出してくることが多い。ところが、男性は発想が限られがちだ。暗黙知を活用していないケースが多いからだと思う。

卑近な例を示せば、女性の場合、この頃趣味や関心が変わったんじゃないか、と思うと、つきあう男性が変わっていた、ということがある。女性は、そのときつきあっている男性の影響をわりと受けやすい傾向がある。相手の趣味・嗜好を受け入れやすい。その分、世界が広がる。だから、つきあう男性が変わることによって、新たな世界がどんどん開けていくということもできる。

ところが、男性はそのあたりが頑《かたく》なだ。それほどフレキシブルに自分を変えられない。つきあっている女性が変わったからといって、あれっ、あいつ変わったな、という印象を受けることなど、まずない。そういう意味で、未知の分野に世界が広がっていくことが少ない。

とくに30代以降、男性は危険なゾーンに入っていく。生活の中で仕事のウエイトが高まるとともに、そこから自分の世界というものが広がる度合いががっくりと低くなる。

それが人生のうちで積み重なっていくと、知的成熟度に大きな開きが出てしまう。その証拠に、今、日本では、映画館でも劇場でも美術館でもコンサートでも、いわゆる文化芸術的なイベントに出かけるのは、圧倒的に女性たちである。欧米では基本的にカップルで動く習慣が身についているので、これほど極端な差はない。日本の場合は前述したような企業風土、社会環境という面もあってか、歳を取るほどに、文化的なものを享受しようとする男性が少なくなっていく現実がある。

しかし、これでは新しい情報と出会わなくなる。**新しいものを摂取する機会が極端に少なければ、暗黙知も広がらない**。暗黙知の網の目が固定化されてしまうと、そこに引っかかってくるものも常に決まってきてしまう。

この人にこの話をしたら、きっとこの部分に引っかかって、こんなことを言うよと、外から見すかされる人というのがいる。その人の暗黙知は、もう暗黙知とは言えないくらい単純化していると言えるだろう。

例えば、車やスポーツが好きだとする。常に、関連雑誌を読んでいる。いつも最新情報をチェックして、新しい情報を仕入れている。だが、同じ媒体から受ける情報の質というものは、大きく変化することはない。同類の情報源ばかりでは、自分の網はたいして進化しない。

ところが、たまたま別のジャンルの雑誌を読んでいるとき、思わぬ情報が、車というものを全く新しい角度で捉える切り口を与えてくれることがある。そうか、こういう感性や、物事を見る角度があるんだと発見する。間口が広がる。

自分が関心のあるテーマで読んでいく本とか、出会う資料というのは、どうしても自分の今までの網に引っかかるものでしかない。それはそれなりに大切ではあるのだが、網の目の進化ということにはならない。

異種の情報源に積極的に接する。これが暗黙知の網の目を張り巡らせておくのに重要な習慣である。

無理だと思うところにチャンスあり

重要なことは、**網を進化させてくれる情報と、どういうふうに出会うか**だ。先に述べた雑誌の例のように、偶然による出会いというものが、思わぬ展開で自分を広げてくれる。自分から進んで手が出ないところには、意外な拾い物が潜んでいるものだ。

そういう意味でいえば、取引先や上司から割り振られて与えられた仕事だとか、自分の専門ではないような研究テーマといったものこそ、逆に、願ってもない、ありがたい機会になる。

あるとき、私は出版社から、宮沢賢治についての本を書かないかと言われた。私の専門は身体論である。そこで宮沢賢治と身体論について書くことになった。しかしその時点では、それほど宮沢賢治と深くかかわろうと思っていたわけではない。ただ、この機を逃したら、宮沢賢治について自分が本を書くことはないと思った。

その一種の強制力とでもいうべきものを利用して、賢治の全集を一気に読むことにした。

しかし、すべてを網羅した『校本宮沢賢治全集』（筑摩書房）のような大部で記載の細かすぎるものは使い勝手が悪い。かえって内容への入り込み方が弱くなるくらいなら、草稿とか校訂のようなややマニアックな部分はとりあえず除外しようと判断して、マニアックすぎない範囲で作品を収録した文庫版の全集『宮沢賢治全集（全10巻）』（ちくま文庫）を3色方式で徹底的に読み込むことにした。

そうして生まれた本が『宮沢賢治という身体』（世織書房）である。

こんなふうに宮沢賢治を読むことなんてもう生涯に二度とないと思いながら、自分の暗黙知をくぐらせ、3色方式で徹底的に色分けして読み込む作業をやりぬいた。

その結果、宮沢賢治が自分の中に「テキスト」として完全に入ってしまったので、それ以降あらゆる機会で引用可能になった。さらに、そのときはテーマに即さなかったため触れなかったが、いつか使ってやろう、と考えているネタが数限りなく残った。

その後、『声に出して読みたい日本語』（草思社）にも宮沢賢治を入れたくなったし、今はNHKのEテレで『にほんごであそぼ』という番組の総合指導をやっているが、そこでも宮沢賢治だったらこれがあるよと勧めたくなる。自分にとって使い尽くせないほどの貴重な財産になったのだ。

もし、自分の勉強のためならば、あそこまで緊張感をもって読むことはできなかっただろう。仕事だからかえって良かったのである。

　こうした私自身の経験も踏まえていえば、**仕事をしながら知識や情報を吸収することが、いちばん効率の良いやり方**だ。

　仕事で要求されているから、それを読むんだという強制力のなせる業だ。

　じつは仕事とは、重層的に積み重なっていくものでもある。

　何かの仕事の成果というものが反映され、アレンジされ、次の仕事に繋がっていく。そこでさらにテキストに出会い、自分の使えるテキストが増えていく。

　ピカソにしても、青の時代があったからバラ色の時代へと移り、さらにキュビズムへと移行した。それを経てさらに独特の境地へと進んでいったのは、自分の中でそのときどきに何かを吸収し尽くし、次の仕事への糧としていったからだと思う。

　私は、明らかに自分の専門外といえる本をけっこう出している。専門ではないから引き受けられない、ということがほとんどないからだ。

『声に出して読みたい日本語』においては、日本語学の研究者でも文学研究者でもない私は、いわば門外漢である。『からだを揺さぶる英語入門』（角川書店）にしても然《しか》り。日本語研究についても、英語についても、たしかに専門家ではない。しかし、身体論、教育論を長年やってきた中で、私しかできないアプローチをするとしたら、こういう日本語本ができる、こういう英語の本ができる、という自分の縁を反映させたコンセプトを出すことはできる。そこから、オリジナリティの高い企画にまで絞り込んでいく。

一瞬、自分には不向きと思うようなテーマのほうが、知識も、暗黙知も、見える世界をも広げてくれるだろう。

情報をテキスト化する

私の『宮沢賢治という身体』への取り組み方の話は、そのまま、自分をくぐらせるときの深さの問題としても理解してもらえるだろう。

自分の脳にしっかり刻み込むような形で深いところにくぐらせたものほど、後々、活用範囲が広がる。

浅いレベルでチェックをしたものは、その資料が自分のさまざまなアンテナ、暗黙知に引っかかっているわけではないので、何かの参考になることはあっても、多様に活用できるものにはならない。

私は、**深いくぐらせ方をして自分のものにしたと思える素材を、「テキスト」と呼んでそのほかの資料や情報とは一線を画したものと位置付けている。**このテキストという言葉に、私個人は非常に多くの思いをこめている。自分がそこに意味を読み込んでいて、非常に大切にしている素材、なおかつそれ自体が非常にパワーを持っていて、あらゆる仕事においていつでも活用可能な素材……そういうものとして捉えている。

本当は、本書も「3色ボールペンテキスト活用術」と呼びたいほど、このテキストという言葉に愛着を抱いている。

宮沢賢治は私にとって、大切なテキストのひとつである。

自分がアレンジすることのできるテキストを、いったいどのくらい持っているかということが、その人の引き出しの数や大きさになる。

いつもそう都合よく恰好《かっこう》のテキストに出会えるとは限らないので、一度自分の手持ちのテキストになったら、あらゆる形でとことん活用することを考える。すると、あれをこんなふうに使ってみよう、というアイディアが、次々と自然に湧いてくる。

テキストというのは、1粒で何度でもおいしい、というように活用するのがコツだ。

テキストを探そう

テキストというコンセプトを理解してもらえたら、その次には、常にそれを意識して、自分にとってのテキストになりそうなものを探してみよう。テキストは何も活字媒体に限定されるものではない。

街を歩きながらでも、これはテキストになるんじゃないかというふうにして目を向けていると、思わぬものが飛び込んでくる。その飛び込んできたものを、どういう角度なら自分なりの活かし方ができるのかというふうに考えてみる。

インターネットでパッと検索して、確認したらそれで終わり。そんな情報処理で済んでしまうようなものは、テキストとは言えない。一問一答式のような、情報の精度も浅く、活用範囲が狭いものもダメだ。そうした情報源というのは、自分にとって本当の資源にはならない。まさにテキストの対極に位置するものだ。

先述したように、偶然を積極的に利用すること。思えば私と宮沢賢治との遭遇も、ほんの偶然としか言いようがない。

たまたま偶然見たものとか、出会った人とか、あるいは行った場所とか、そうしたことが暗黙知を刺激し、広げ、今までの網以上に広がりのある網がそこにできる。できるだけ大きく、自分にとって刺激的な取り組み甲斐《がい》のあるテキストに、自ら出会いに行くことだ。

ゲーテは、『ゲーテとの対話』（岩波文庫）で、エッカーマンに対して、

「重要なことは、けっして使い尽すことのない資本をつくることだ」

と言っている。

ドイツ人が文学をやろうとするのなら、やはり小説とか悲劇というものはイギリスのほうがはるかに歴史が発達しているものだから、英語を勉強して、イギリスの文学作品をきちんと読んで、それを若いうちに自分の資本にしてしまえば、あとで大変な財産になるんだよ、というようなアドバイスをしているのである。

自分にとって**〝けっして使い尽すことのない資本〟というのは何なのか。これはテキスト探しをするうえでのコンセプトとなる、**じつに含蓄ある言葉ではないだろうか。

捨てるかどうかは緑で決める

私にとって、深くくぐらせて3色で色分けした資料は、大切で捨てられない。この資料とは一期一会だと思ってガシッと出会っておいたものほど、捨てられない。ましてや自分のテキストになったものなどは、もう絶対に手放せないと思う。

一方、自分をくぐらせていないものは、どんなに資料的に価値があったとしても、どんどん捨てる。人生と同じで、自分が出会ったものだけが大事だと考えている。どんなに美人だと評判が高くても、出会っていない美人というのは、私にとっては大事な存在になりようがない。

その資料が捨てられるか捨てられないかは、くぐらせた深度にもよるが、もう少し幅広い見方をすれば、それはまた、緑の量でも決まってくる。

緑は、その資料のテーマとは何の脈絡もなく、自分の興味でマークしている。じつは、これが暗黙知をくぐらせることになっているのである。緑は、暗黙知で「引っかかり」を感じた部分なのだ。つまり、緑の部分は、自分の情報になる、テキストになりうる可能性を秘めているということができる。

緑があまりマークされていないものは、自分の暗黙知があまり反応しなかったということ。これは自分とは縁がなかったものと思って、捨てる。

この判断基準だと、捨てるかどうかまず迷うことがない。

赤と青ばかりで、緑があまり見当たらないとすれば、その資料はそのとき限りで終わってしまう資料だ。自分にとって、その仕事で終わってしまう情報にすぎない。すでに消化し終わったものと見なせる。取っておいても使うことはない。

逆に緑が頻出して、おまけに余白に緑の書き込みなどがあるようなものは、絶対、何かで使える。当座の仕事の文脈からはずれているだけであって、感性には引っかかっている。そのことが重要なのだ。その資料がテキストとして自分の財産になって、次の仕事、次の何かへと活きていく可能性があるということだ。そういう材料を徹底的に増やしていくということ、それが自分にとって有益な情報収集となる。

自分にとって現在の仕事にしか活きない資料なのか。それとも、この偶然の出会いをチャンスにして、自分の手持ちのテキストにしてしまえるのか。

全部が手持ちのテキストになるわけではないが、それを探す目がなければ、自分の武器になるテキストは増えてはいかない。

筆記する力

さて、ここまでは「読む」ということに主眼を置いて、いかにして情報をくぐらせるかということを書いてきた。だが、情報は人の話を「聞く」という形で、かなりの量、耳からも入ってくるものである。

また、聞いたもの、文字以外の見たものを、自分の情報としてどこかに留《とど》めておくためには、「書く」ということも要求される。いわゆる、メモである。

聞いたり書いたりするうえでも、やはりその情報をくぐらせることは重要だ。ただし、話の内容をメモに取るのと、授業のノートを取るのとでは、同じ筆記でも趣《おもむ》きを異にする。

書くということは、かなり高度な能力が必要とされる。例えば、英語を母国語とする人は当然会話はできるが、それを文字に定着させ、文章にすることのできない人の比率というのはけっこう高い。

口語体で話されている内容をきちんと聞き取り、把握して文字化するということ

――これは、自然にできるようになるものではなく、訓練して身につける能力である。

われわれは初等教育の段階から文字を書くということを教えられているが、文字を覚える、語彙《ごい》を増やす、筆写するといったことと、作文や手紙を書くといったことは、異なる文脈にあるものだ。前者は記憶力と練習の積み重ねとが第一で、そこには自分をくぐらせる必要はない。いや、むしろ個人の興味や関心を交えずに鍛錬すべきだ。

それに対して後者は、自分の知っている言葉を用いて、自分の思いや考えを構築して表現しなくてはならない。自分をくぐらせなくてはできない。前者に訓練が必要なことは誰もが知っているが、じつは後者も訓練や習慣づけで上達させる能力だ。

ところで、近年、日本では、学生の筆記能力が著しく落ちている、といわれている。私は、時々小中高の授業を見に行くが、たしかに今の子どもたちは、教師が板書したものを筆写するのが遅い。これを書き写すのにこれだけ時間がかかっていたのでは、予定していたところまで授業を進めることは難しいだろうな、と思う。これは、筆記・筆写するという練習が足りないということに尽きる。

先生が板書したものをノートに書き写すのには、自分をくぐらせてオリジナリティを出す必要はない。だが、その基礎となる筆記能力が劣っていたら、その先のオリジナリティはさらに危ぶまれる。

ノートを取るということ

高校生くらいまでは、ノートを取るということは板書を写すことがほとんどである。これが大学生くらいになると、今度は先生が喋《しゃべ》るのを聞いて、それをノートに書き留めるという必要が出てくる。

ただ、この段階ではまだ、内容を把握・理解して、自分なりにまとめるという次元とは言いがたい。先生が内容をレジュメ化したり、原稿化していないために、そうせざるを得ないという面が強い。

授業のノートを、3色方式で取るとき、緑が多くなりすぎてしまうと、そのノートは偏った内容になってしまう。緑は試験にはほとんど関係ないところだ。まずは、赤・青チェックをきちんとして、先生が要点だと言ったところをきちんと押さえておくことに集中しなくてはならない。

そもそも、授業や講義というのを、自分のアンテナに引っかかるか、引っかからないかということで判断したら、ノートを取る気にならない授業もたくさん出てくるだろう。ときには、何で自分は今ここに座ってこんなことをやっているんだ？　という疑問にさえ駆られてしまう。

じつは、私自身がそうだった。私は大学は法学部だったのだが、例えばある法律の講義を聴いていても、ノートがまったく取れなかった。そうかと思えば、政治学のような講義になると、自分でも不思議なほどにぎっしりとノートが埋まっていく。

当時から私は、講義内容を〝自分をぐらせよう〟として聴いていたのだろう。自分をかかわらせることがなかなかできないような講義はノートが取れなくなり、興味があって、かかわらせやすいものは、すらすらとノートが取れたのだと思う。

板書ではなく、自分の力でノートを取るようになると、そこには理解力とそれを表現する力というものが必要になってくる。3色方式は、自分が今どれくらい理解しているかを測るバロメーターになる。

同じ授業や講義を聴いていながら、ノートの出来というのは、人によってここまで違うものかというほど違う。大多数の人がノートの貸し借りという経験をしたことがあると思うが、**評判の良いノートというのは、ただ文章を羅列しているものではなく、重要度にグレードをつけて要点がわかりやすくまとめられていて、なおかつ緑の楽しさもあるものだ。**

メモはどうやって取るか？

社会に出て仕事をするようになると、自分をくぐらせて聞き取る、そして「メモる」ことが非常に重要になってくる。

学生時代には、とにかく先生の言うことをくぐらせないで書いていくということが求められたが、ここへ来てにわかに、自分をどうくぐらせるかがポイントになる。

それは仕事というものが持つ本質である。勉強というのは、再生するだけでもいい。言われたこと、自分に入ってきた情報を、同じように反復すればそれで正解。**ところが仕事で大事になるのは、「それで、どうするんだ⁉」という活用面である。**

人の話を聞いて、素晴らしくよくできた講義ノートのようなものを作ったところで、誰も褒めてはくれない。それがどう仕事に結びつくのか、どう活かされるのか、何を生んでいくのかということを考えなければならない。

社会で働く上で、発想を大転換させなければならなくなる。

そこで3色方式の登場となる。

では、仕事に活用するためのメモとはどう書くか。

まずは、**相手が伝えたい情報をきちんと書き取る**必要がある。最重要の赤、まあ大事の青、メモとしてこの程度は落としてはならない。

だが、そこから先、すべてを書こうとしてはいけない。ビュッフェで料理を食べるつもりで、好きなものを自分で好きなだけ取って食べる。そんな構えで、メモを取る。それはすなわち、緑（＝自分の感性）を全開にしておくということ。メモを取るのにも、黒インクのペンは必要ない。赤と青の要点以外は、何しろすべて緑のはずなのだ。

赤と青以外では、これは必要はない、興味が湧かないというところは、書かなくていい。自分が触発されないことはメモを取らない。それがコツである。

これは、講演会、勉強会、セミナーといった場でも、数人単位の打ち合わせであっても、1対1で相手の話を聞くときであっても同じである。

伝言ゲームみたいに、そこで交わされた話のすべてをそのまま忠実に再現することが求められている状況というのは、日常においてほとんどない。だから、重要なことと、自分が触発されたことだけを3色に分けて書き残しておく。

できたら、そこにグレードをつけておく。学生時代に借りた友人のわかりやすいノートのことを思い出せば、重要度をグレード分けすることの意味は明白だ。

聞く力を育てる

メモする力と聞く力というのは非常に密接に結びついていて、きっちりと聞くことができなければ、自分にとって有益なメモは書けない。また、メモを取ることで、聞く力も育っていく。

メモを取らずに聞いている人は、聞く力が育たない。本や資料を読むのに3色でくぐらせて読むのと、ただ読むのとでは頭に残り方が違うのと同様、聞き流してしまっては、その話の濃淡が浮かび上がってこないのである。

だから、自分のアンテナをピンと張って、あっ、ツボに来たぞ、というところを青だ、赤だ、緑だと振り分けるようにして聞かないといけない。平板に聞くのでなく、3色で聞き分けるようになるぞ、と自分を鼓舞して、気合いを入れて聞く。この意識をはっきりもって人の話を聞こうとすると、自分の耳を通して脳に入ってくる話は、格段に違ってくる。それを3色で書く。――この訓練を積む。

それが習慣づけられた頃には、人の話を聞くコツとともに、メモを取るという力も養われている。

やがて、3色方式が自分の技となった人は、3色ボールペンを持たずとも、話がもう自然に3色に色分けされて聞こえてくるようになる。

口調や話の展開から、ここは赤だ、青だ、というのが、かなり直感的にわかってくる。さらに、ここは緑に入った、聞き手全員にとって重要な話とは思えないが、その人個人にとっては意味のある重要なエピソードがあったのだろうとか、あるいは、ここは話にアクセントをつけるためのおもしろいネタだなとか、そういうことまでもわかってくるようになる。

すると、**話を聞くのに、ずっと同じ緊張状態を持続していなくてもいい**のだということもわかる。ここは赤のようだ、と気がつけば、思わず姿勢を正して真剣に耳を傾けたくなるだろうし、ここは重要そうでもないし、自分にとってあまり興味も持てないからノーチェックだ、と思えば軽く流して聞くことになろう。聞く側の気持ちも濃淡をつけられる。**話している相手のリズムに、自分も合わせることができるようになる**のである。

3色はリズムだ。

音楽が〝音〟ではなくて音楽として聞こえるのは、リズムがあり、メロディーがあるからだが、そのリズムやメロディーという要素が、この3色方式にはある。ゆるやかに始まって、まあまあな感じにいって、あるところでは非常に盛り上がり、また突然フッと転調がある……。そうして聞いていると、非常に心地よく頭に入ってくる。しかも、3色で整理されて入ってくる。

やがて、どういう人の話がうまいのかヘタなのか、その構造がわかるようになる。この人は緑の話の要素がうまいから、みんなが聞きやすいんだなとか、この人の話はおもしろさはあまりないけれど、要点はしっかり押さえられていて安定しているとか。これは、自分が話す側になったときにどうすればいいかというヒントにもなる。

聞く力とメモする力は相乗効果があるから、聞く力が格段にアップすると、書く力もアップしていく。

メモから生まれるアイディア

3色でメモすることには、もうひとつメリットがある。自分自身がその瞬間に何を考えたのかが言語化されやすくなるということだ。

メモというのは、聞いた話を書き取る以上に、その言葉を聞いて自分の中で生まれた言葉を書いていくようにしたほうが役に立つ。

緑で何を書いていくか、それは〝自分が触発されたこと〟だ。その話に触発されて生まれてきたものを、忘れないようにメモする。そもそもメモとは、備忘録のことだ。

私は、メモを取るという習慣がついているかどうかでその人の仕事に取り組む姿勢がわかると考えている。

アイディア豊富な人、クリエイティブな仕事をする人というのは、相手の言ったことではなくて、そこからインスパイアされた自分の考え、思いつきなどをメモしているケースが多い。

もちろん相手の喋った内容の赤・青部分をメモすることを否定しているわけではな

い。それと同時に、それを聞いて自分が考えたこと、その時点で自分の頭の中に浮かんだことを書いておく。質問、疑問、矛盾、あるいは同調したということでもいい。

例えば、赤で要点を記した脇に、「なぜそうなるのか?」「こういうケースにはどう対応するのか?」「コスト高では?」などと緑で残しておく。これは、本当に相手に質問をするためのものではない。相手に答えを求めるのが目的の問いではなく、自分が何に引っかかったかということを残しておくためのものだ。

これが、あとからびっくりするほど意味を持ってくる。話の要点をメモしてあるだけのときよりも、はるかに詳しく、そのときの話のディテールが思い出せる。しっかりと自分をくぐらせていることになっているのだと思う。

私は、メモとはそういうものであるべきだと考えている。**相手が刺激剤となって、自分の中の何かを揺り動かしたもの、それを言葉にしていく**。そして書き終わったときには整理が終わっていて、即、活用に結びつく。実際に、こういうところから仕事に繋がっていくことがじつに多い。

メモを取らない人というのは、話の要点も、自分の中に生まれた考えも、ただ流してしまっている。その瞬間には、脳裏に何かよぎるものはあるだろう。どんな人でも、聞いた瞬間には、何かをフッと思う。しかし、それはまた消えていくのも速い。獲物が姿を現したかと思うと、それはほんの一瞬で、また森の中に走り去ってしまうように、サッと消えてしまう。それを逃さずにつかまえるには、**ペンという道具を持って、臨戦態勢を整えておかなくてはならない**。

私が、この情報術の中にメモする力ということを入れておきたかったのは、こういうメモがアイディアや企画を生むということをわかってほしいからだ。

私は、打ち合わせと称して、ダラダラ話すというのが嫌いだ。

ただ進行や手順を相談するだけなら、ペーパーにまとめたものを関係者に回覧すれば済む。何もみんなで同じ時間に顔を突き合わせて、同じ書類を眺める必要はない。

だが、そのときに互いに意見を出し合い、フッと湧いてくるものを大事にするのが目的であるならば、部屋にホワイトボードを用意するか、みんなでどんどん書き込んでいけるような紙を用意して、ガンガン話し合いをすべきだと思う。

そして、それは打ち合わせというより、すでに仕事の本質に入っている。

ペンを持たずに会議に集まる人、ホワイトボードのない会議室、そして、そういう状況を変えていこうとしない会社というのは、本当に大丈夫だろうか、と疑問を抱かざるを得ない。その企業全体で、いったいどれだけのチャンスやアイディアをみすみす逃しているかと考えると、じつにもったいないなあ、と思う。

3色バランスでプレゼンテーション

3色のバランス感覚はプレゼンテーションする上でも大いに役立つ。聞く力、メモ力で養われた力はそのままアウトプットの際にも活きてくる。

仮に、5社に基本的な材料を与えて、コンペの形を取ったとする。予算や納期といった外枠もあらかじめ決めておく。

第一に踏まえておかなくてはならないのは、その提案が赤と青の部分をきちんと押さえているかどうかだ。

例えば、本筋を押さえていないとか、クライアント側の最大の要求である「予算」を度外視しているというようなことであったら、これはもうどうしようもない。コンセプト云々《うんぬん》、その展開方法云々という前に、それだけでダメである。

だが、赤と青を押さえただけのものというのは、出てくるラインはある程度は似通ったものとなる。本や資料を読むときも、ある一定レベルの能力を持っていれば、赤と青の箇所は一致してくると言った。これはプレゼンにおいても同じである。

予算や納期はたしかに枠内だが、これは青ばかりではないか、というプレゼンには、インパクトがない。

核となる強いものがない、まあまあの情報が入っている青だけのプレゼンというのは、意外に多い。可もなく不可もなくというのは、プレゼンテーションとしてはあまり褒められたものではない。

そこに、**強烈な赤で、ここに賭《か》ける、これを変えたらこの商品ではなくなるというくらい強いコンセプトを練り上げ、それをまた強い言葉で表現すると、プレゼンテーションはより説得力を持つ。**

欲を言えばそこに、緑の要素というものがあると、そのプレゼンテーションはヴァリエーションがついて、いっそう魅力あるものになる。

ただし、そこで問題になるのは、その、緑のセンスが加わることで、そのプレゼンがオリジナリティを増すのか、それとも逆効果になってしまうのか、ということである。

この場合の緑というのは、変化球だ。

本質をついているわけではないが、人の気持ちをキャッチするような、何か角度のあるものを付け加える、といった意味だ。

仕事や業種によっては、緑がとりあえず重要ではなくて、赤・青をきっちりこなしてくれればいいという仕事もある。一方で、何よりも緑のセンスを要求しているのだから、そこで勝負するプレゼンをしてくれ、という仕事もあるだろう。

3色のバランス感覚を自分の中に持つことで、自分が何を求められているか的確に把握し、いちばん効果的な形で提示することが技化されるようになる。常に3色のふるいをくぐらせるのだ。

第 4 章

立ち上がらせる

――情報を立体化する

関心のアンテナを立てる

さて、次は「立ち上がらせる」である。

情報を「立ち上がらせる」というのは、文章の中に沈み込んでいるものを、浮き上がらせ、目立たせて、自分の目に飛び込みやすくさせるという意味である。

本や資料を読んでいると、なぜかわからないが、この言葉がふと自分の目に飛び込んできた、という体験をする。それは普段ははっきり意識できていないかもしれないが、暗黙知の領域に引っかかって、その言葉に反応するようにと脳から指令が出ていたのだと考えられる。じつはそういう準備が自分の中でできているのだ。

自分に関心のアンテナがないときには、普通、むやみに飛び込んではこない。

関心がない人にもいかに目に飛び込みやすくするか、ということを考えるのが、宣伝と広告だ。そのために、バカでっかい文字をガンと出したり、赤い字で書いたり、ありとあらゆる奇抜な手法を取る。あるいはテレビで流すテロップもそうだ。

ある資料を、自分をくぐらせて3色方式で読む。色分けにより、脳を整理するのと同時に、記憶しやすくする。さらに、それを情報として活用しようとしたときに、目立ちやすくする、つまり引き出しやすくするという意味合いも併せ持つ。

色の持つ効果は大きい。目にも頭の中にもぐっと飛び込んできやすい。自分で資料に色づけをし、情報にグレードをつけることで、〝仕込み〟をする。それが、立ち上がらせるということだ。

そのためにはまず、きちんと立ち上がってくるようにするための、「関心のアンテナ」をしっかりと立てることが大切になってくる。自分がそこにきちんと関心を向けられるように、その態勢固めをしておく。

どういうことかと言うと、普通の資料、普通の文章——たいがい黒1色だけで書かれた平板で地味なものだ——に、3色ボールペンを使って書き込んでいく。それを練習する。ひたすら練習する。最初のうちは、線の引き方や丸の囲み方にとまどい、弱々しいためらいがちな書き込みになるだろうが、できるだけ筆圧をこめてしっかり書く。

練習を続けると、やがてそれまでは1色の地味な文字の羅列だった地の文から、色をつけた文字や言葉が浮き上がって見えてくるようになる。資料そのものはあくまでも平面的なものだが、自分の中では文字が立ち上がってくるわけだ。これが**立体化するということである。**

これを実感として理解できるようになると、3色の使い方にも自信が出てくる。どんどん書いていけるようになる。立ち上がらせるということが自分の意識の中で明確な形を持ちはじめる。

そして、では**どんな言葉が浮き上がってくるようにしたら仕事に役立つだろうと考え、そのためのアンテナを張る**ようになる。何をキャッチしたらいいのか、何を見つけたらいいのか。そうやって、立ち上がらせるための意識、自覚のようなものが、自分の中に根づいてくる。

そのうちに、ただののっぺりした紙なのに、自分に必要な情報が、向こうからどんどん飛び込んできてくれるようになる。

さらにこれが身についていて技化《わざか》されてくると、資料の高速チェックや速読術といったところにも繫《つな》がっていく。

キーワードを丸で囲む

では、具体的にやり方をご紹介しよう。

基本的な方法が、キーワード方式である。これは、自分に引っかかってくる言葉を、ボールペンで丸で囲い込む方法だ。

まず適当な資料を用意する。短いものよりは、ある程度の分量のあるものがよい。その資料に出てきそうなキーワードをあらかじめ決めておいて、それが出てきたら、丸で囲むという練習をするのである。

キーワードの選び方としては、できるだけその文章のテーマになっていそうな用語を選ぶ。内容上、たぶんこれがカギになるであろうと思われる言葉を拾う。

最初からキーワードをたくさん選びすぎると大変なので、**1資料に対して3つから5つ**くらいが妥当だ。

3色方式の原則に則《のっと》り、キーソードにもグレードをつけて色別にしよう。この言葉はタイトルにもなっているくらいでこの資料のキーコンセプトである可能性があるから最重要の赤としよう、これはその次に重要だと考えられるから青だ、これは何か引っかかりになりそうだと思って選んだ言葉だから緑にしよう、という具合に、キーワードの色を決めておく。

そして、3色ボールペンを持って、資料を見る。そのキーワードが出てきたら、決めておいた色を使って丸で囲む。この場合は自分をくぐらせてしっかり読まなければ、と考える必要はない。丹念に読むというよりは、資料を見る感覚で丸をつけていけばよい。

会議資料などに最も多いA4サイズの紙で言うと、普通に文章が詰まっていると仮定して、1枚を読むのに20秒から30秒くらいの見当だ。これはもちろん個人の能力に応じて変わってくる。最初から無理をせず、まあ20秒くらいで1枚がチェックできればいいだろう。

それを20ページから30ページにわたって続けていく。キーワードが出てきたら、これは赤、これは緑と丸をつけていく。

やってみるとわかるが、ページを繰るにしたがって、見つける速度が速くなっていく。そのうち、5秒から10秒で1枚をチェックすることができるようになってくる。そして、そのワードに慣れてくる。最初にパッと見たときには文章の中に埋もれてい

■ キーワード方式

才能

天才とは、天から与えられた才能だ。だから棋士は、子供のころから並みの子ではない。ことに将棋にすぐれ、将棋に関連する才能が鋭い。

升田幸三九段は学校へまだ上がっていないのに、足し算、引き算、かけ算などみな出来た。升田だけでなく、大多数の棋士が算数が得意で図抜けている。そして、大山康晴永世名人らはソロバンが得意だった。ソロバンは、もちろん指の動きが要求されるが、上に進むと、暗算が必要になる。ソロバンの暗算は、頭の中の玉を動かすのだから、将棋の場合の読みに似た作業だ。

内藤国雄九段は、子供のころ、ソロバン塾に通った。ところが一週間で数クラスを飛び越してしまい、一緒に通った子供がかわいそうで、やめてしまった。とくに暗算で群を抜いた。

頭の中に具体的なものを描く――。この才能に関して、棋士の右に出る者いない。棋士の基本能力といってよい。

升田は少年のころ、飛び立つ鳥の数をピタリと当てた。

電線にとまっているツバメに石を投げ、飛び立つときに数えようと兄弟でやる。ツバメは飛び立ってもまた別の所にとまるからあとで合っているか数えるわけだ。升田少年は、飛び立った瞬間を凝視し、目をつむる。すると写真のようにツバメが頭に浮かぶ。これを数える。そして一羽もまちがわなかった。だれに教わったわけでもない。持って生まれた天分がさせた。

たのが、丸をつけていることでその言葉が飛び込んでくる。自分の中に、そのワードが定着してくるということだろう。この〝慣れ〟が、立ち上がらせる基本となる。

141頁に中平邦彦著『棋士・その世界』(講談社文庫)より一例を示しておく。

キーワードの見つけ方

本書を例にして、練習をしてみよう。

まずキーワードになる言葉を探す。これはタイトルからしてそうだが、どうやら「3色」という言葉が要《かなめ》になる本のようだ、と考える。すると、3色の具体的な使用法は赤としてよいだろう。あるいは「情報」という言葉も大事かもしれない。しかし情報というのはあまりに漠然としていて、しかもものすごく頻繁に出てきそうだ。これは赤というより青にしておくことにする。それからどうも気になるのが「緑」という文字だ。3色なんてボールペンで考えれば黒と赤と青が普通なのに、なんで緑が出てくるんだ？　よし、これをまさに緑でチェックしてやろう。待てよ、だったらついでに「赤」の文字が出てくるところを赤で、「青」が出てくるところを青でチェックしておけばわかりやすいではないか。

そんなふうに考えて、とりあえず5つのキーワードが決まる。

そして、「3色」「情報」「赤」「青」「緑」が出てくるたびに、その文字に丸をつける。

「３色」「赤」は赤インクで、「情報」「青」は青インクで、「緑」は緑インクで、というように丸囲みする。

1回読んで各キーワードがすべて3色でチェックできるようになればいいのだが、最初は5つの項目をチェックしながらというのは、やや混乱するかもしれない。そういう場合は、「３色」と「赤」の語だけをバッと一気に拾っていって、そのあと、今度は「情報」「青」だけを拾う、さらに「緑」の語だけを拾う、というようにやっていったほうが、シンプルな作業になる。

初めの数ページは、時間がかかるだろう。しかし、**最後のほうのページに行き着いたときには、びっくりするほど検索スピードが上がっている**はずだ。

こうしてキーワードをすべてチェックし終わったものは、どの言葉がどんな頻度で出てくるのか、どの章にどの言葉が集中しているのか、といったことが一目でわかる。

アルファベットだけで構成されている英語と違い、日本語の場合は漢字とひらがなとカタカナが混じっているので、すべての言葉に対してまったく同じ条件で見つけられるとは言えない。カタカナ語のほうが見つけやすいとか、むしろ難しい漢字のほうが見つけやすいといったこともあるに違いない。

だが、いずれにしても、練習によって見つける力が上がっていることは実感してもらえると思う。ストップウォッチを用意して、１ページあたりのスピードを計ってみるのもいい。やればやるほど速くなることがはっきりわかる。

この３色ボールペン方式を確立する経緯にもかかわってくることだが、私は昔から資料チェックを、このキーワード方式を用いてやっていた。

私の場合は、自分の研究テーマに関連するワード――例えば「身体」「呼吸」「息」「触れる」という言葉――をいくつか持っていて、研究テーマに直接関係のない本を読むときにも、その関連ワードをすべてチェックするようにしていた。どんな小説を読んでも、どんな論文を読んでも、何を読んでも、その言葉が出てきたら丸をつけておく。

つまり、その本や資料の文脈、そのときに自分が探している情報の文脈とは関係ない印があちこちにつくことになる。そこで混乱が生じないように、自分の研究テーマにかかわる言葉に関して色を変える必要があった。そこで緑を使いはじめたのである。

そういう研究を３年、５年と続けていると、もうどんなものをめくっても、その言葉を逃すということはほとんどなくなる。文脈とは何の関係もなく、向こうから飛び込んできてしまう。ときには鬱陶《うっとう》しいほどに。

もう自分の脳が勝手に反応するようになっていく。それが「技」なのである。才能でなく、はっきり言って習慣である。

「つかまえてやるぞ」という意識

キーワードのチェックなら自分もやっている、と思われる方がいるかもしれない。私のこの方式の特徴は、それを3色でやるということ、そして道具としてボールペンを使うというところにある。

よく使われているのは蛍光ペンだと思うが、蛍光ペンはスッとなぞれば色がついてしまう。それでは、ここにあった、見つけたぞ、という実感が薄い。スッ、スッ、スッと色をつけた資料は、たしかにその部分が目立つが、チェックしたという意味ではサラリとしすぎていて、自分でそこにあったものを探し出した、見つけ出した、という感覚が脳に伝わりにくい。

その点ボールペンの場合は、強くギュッと丸をつけることで、自分自身にそれを再確認させるような意味がある。その**ギュッと力をこめて線を引く作業が、色と場所という記憶に繋がっていく**のだ。

これはミソだ、触発されるものがある、と思ったら、その言葉をただ丸囲みするのでなく、二重、三重、四重にグルグル巻きをしていく。その手の動き自体が、自分に、覚えろよ、覚えろよ、覚えろよというふうな感じで刺激を与えるのである。そうやって印をつけたところは、より浮き上がってくるし、自分でも忘れない。どのあたりのページのどこに、何色のグルグル巻きをつけてあるかは、じつによく覚えているものだ。

だから、私はボールペンでのグルグル巻きというのは、記憶として定着させるために非常に効果的な方法だと思っている。

キーワードのチェックということに話を戻せば、私の研究テーマのように、**自分の固有キーワードを持って常にそれをチェックしていると、その資料が自分にとってどれだけ価値を持つものか、どれだけかかわりを持つものになるか、ということがクリアに見えてくる。**

例えば小説を読んでも、自分のキーワードが次々に頻出するものは、小説としての価値以上に、今後、自分のテキストとなりそうだということがわかってくる。

キーワードの見つけ方の例として先に本書を題材にしたが、そこで挙げた「3色」「情報」「緑」などのキーワードは、仮に設定したものだった。通常は、読む前からその本の内容がわかるわけがない。あらかじめキーワードになりそうだと思われる言葉を

〝想定〟しておくのである。

だが、それが本当にその本のキーワードとは限らないこともある。頻出する言葉がキーワードとは言えない場合もある。意図的にそこを隠し味にしてあることも多い。キーワードだと思っていたら、じつはそうではなかった、意外なキーワードはこんなところに潜んでいた、などというものを見つけながら読むのも楽しい。そんな発見があったら、グルグル巻きにしてつかまえる。

キーワードを見つけながら読むという方法は、その本の著者、あるいはその資料の作成者の表現したいことを的確につかむ練習にもなる。その資料のポイント、いちばん重要な目のつけどころを捉《とら》えられるかどうかは、情報を活用するうえで違いが大きい。

いうなれば、**情報ハンターになる**ことだと思う。

猟師は、獲物をつかまえるために必要な道具立てを装備したうえで森に入る。縄を張って獲物を待ち構える。そして獲物を見つけたら、しっかりとつかまえる。縄でグルグル巻きにして持って帰る。

同じ森に入るのでも、ハイカーのように何も猟の道具を持たずに行っても、獲物をつかまえることはできない。何か動物がいたような気がする、というだけでは、何も見なかったのと変わりはない。

単なるハイカーは動物の足跡や気配を見分ける術《すべ》を持たないので、動物が近くにいても、何も気づかない。ものの見え方にも、成果にも、雲泥の差がつくとはこういうことだ。

情報を手堅く自分のものにするためには、猟師になるべきなのだ。

巻末（220〜236頁）に練習問題をつけた。時間を区切ってチャレンジしてみてほしい。

キーワードがレジュメに早変わり

じつは、キーワードをチェックし終えた資料には、さらに汎用性《はんよう》がある。

あっという間に**レジュメ**にしてしまえる。

レジュメとはどういうものか。ご存じない方のためにも説明しておくと、これはフランス語で、一言でいえば「梗概《こうがい》、大意」といった意味である。本の目次みたいなものと思っていいだろう。重要な事柄を、文章で綴《つづ》るのではなくて、短い単語や語句の連なりで簡単明瞭《めいりょう》に整理したものを言う。レジュメは簡潔であることが望まれる。やたらと長くてグダグダと書いてあるものは、いいレジュメとは言えない。

ある企画や構想を実現させていくうえでは、まずレジュメを作って、これを土台にして議論や計画を進めていく。レジュメを叩《たた》き台にして議論をし、そこで出てきたアイディアをどんどん反映させて練り直す。レジュメがきちんとしていれば、途中で考え方にブレが生じにくく、仕事の効率が良い。

たいていの人は、レジュメというと、何かをまとめ直す。元の資料だとか、参考に

■ 資料を図式化

(5) **平成元年から現在へ**

平成元年3月、中央社会福祉審議会・身体障害者福杜審議会，中央児童福祉審議会の三審議会により設置された福祉関係三審議会合同企画分科会から、中受期的展望にたち、意見具申「今後の社会福祉のあり方について」が厚生大臣に提出された。さらに、同年12月には、「高齢者保健福祉推進十か年戦略（ゴールドプラン）」厚生省、大蔵省、自治省の三省協議により策定された。これは平成11年にいたるまでの10ヵ年に行う在宅福祉対策の緊急整備を施設の緊急整備とあわせ具体的な数字によって提示したものであり、ここで揚げた目標値や「寝たきり老人ゼロ作戦」を実現していくことが社会福祉改革の具体的な端緒を切り開くものとして期待されたのである。

平成6年12月には文部、厚生、労働、建築の4大臣合意による「今後の子育て支援のための施策の基本的方向について（エンゼルプラン）」、大蔵、厚生、自治の3大臣合意による「高齢者保険福祉推進十か年戦略の見直しについて（新ゴールドプラン）の二つのプランがとりまとめられた。前者は、平成7年度を初年度とする「緊急保健対策等 5 か年事業」をはじめ、子育て支援などの総合的な施策であり、後者は平成元年の「高齢者保健福祉推進十か年戦略（ゴールドプラン）」の目標水準を大幅に引き上げるとともに、利用者本位、自立支援といった新たな基本理念、施策の基本的枠組みを示したものである。

平成7年7月に社会保障制度審議会は「社会保障体制の再構築一安心して暮らせる21世紀の社会を目指して」を勧告した。これは、社会連帯の理念にたった 21 世紀の社会保障のあるべき姿を示したものである。

同 7 月には老人保険福祉審議会が公的介護保険を検討すべきとした中間報告を提出、それ以降同審議会で検討が重ねられ、8年1月に第2次報告が、そして6月には介護保険制度案大綱が答申され、平成 9 年12月に成立し、平成12月4月1日に施行をみたところである。

平成11年12月には大蔵、文部、厚生、労務、建設、自治の 6 大臣合意による「重点的に推進すべき小子化対策の具体的実施計画について（新エンゼルプラン）」大蔵、厚生、自治の 3 大臣合意による「今後 5 か年間の高齢者保険福祉施策の方向で（ゴールドプラン 21）」が策定された。前者は、従来のエンゼルプランおよび緊急保育件対策等 5 か年事業を見直し、働き方および保育サービスに加え、相談・支援体制、母子保健、教育、住宅などの総合的な実施計画となっており、平成 16 年度の目標を定め、各施策を推進することとしている。後者は、新ゴールドプランの終了と、介護保険制度の導入という新たな状況をした本や論文だとか、文章化した長い書類とかを元に、パソコンで再入力してレジュメに打ち直すという作業をする。時間があり余っているならいいが、もっと迅速に手間をかけずにできるなら、そのほうがずっといい。元の資料を読んだだけで、もうレジュメの根幹ができ上がっていたらどんなに便利だろうか。方法は、**チェックしたキーワードを立体的に結びつけていく**。

資料をその目的に合わせたキーワードで全編チェックし、とくに注目すべきところはグルグル巻きにしておいたりする。その際に、そのキーワードの相互の関係を、本や文書の上で容赦なく矢印とか線で結んでしまったりする。**直接紙の上で、言葉と言葉の関係を図式化して浮き上がらせる**のである（151頁参照。厚生統計協会編『国民の福祉の動向　2002年』より）。

そうすると、地の文章が連なっているにもかかわらず、浮き上がったところだけが、色つきのレジュメとして自分の目に飛び込んでくるようになる。**別にレジュメを〝作る〟わけでなく、そのもの自体を〝レジュメ化〟してしまう**のだ。

これを黒1色でやろうとしてもレジュメ化にはならない。煩雑になって見にくいだけだ。キーワードに丸をすること、色を変えること、矢印や線などで結びつけていくこと、それだけでレジュメに早変わりする。

会議のレジュメ活用術

会議には、レジュメの存在が不可欠だと思う。

ときどき、誰もレジュメを用意してなくて、ただ長い文章化した書類だけが出される会議があるが、何をどうしていくための資料なのかわからなくて困惑する。その会議の出席者が何を共有しているのか、何を議論していったらいいのかがわからない会議というのは、意見がまったく出ずにずっと膠着《こうちゃく》状態が続くか、思い思いの勝手な意見が出て議論が迷走するかのいずれかである。生産的でないことこのうえない。

そんなとき、私は前述の方法で、配られた資料を自分で即席レジュメ化し、頭の中を整理する。こうしておけば、たとえ議論が迷走したとしても、私の頭の中は錯綜《さくそう》しない。

最もいいのは、みんなが共通して書き込めるようなレジュメを用意して、議論しながらどんどんそこに書き込んでいくやり方だ。

会議としての生産性でいえば、このやり方が最も威力を発揮する。書き込み用のレジュメは、大きめの紙でもいいし、ホワイトボードでもいい。そこにこれからいろいろな要素が加えられていくのだから、最初は余白をしっかりと取ってあることが大事だ。中途半端な余白しかないと、書き込み方も中途半端になってしまう。

会議のときに、配られた資料をいちいち読み上げるということをしているところがある。そこに長い時間をかけるのは、ほとんど意味がない。出席メンバーには、事前に資料を配布しておき、目を通しておいてもらえばよいと思う。

もしも、何十枚にもわたる長い会議資料を、その場で渡されたらどうするか。会議は議論のために催されるものだ。ザッと目を通して重要なポイントをつかむ能力が求められる。分厚い資料を1枚1枚、1行ずつ読んでいたら、とても終わりのほうまで行き着けない。しかも、それをしながら人の意見を聞き、自分の考えもまとめなくてはならないのだ。そんなときに資料の高速チェックの技が身についていると、余裕をもって会議に臨める。

会議の始まる前もしくは始まって最初の5分程度を、チェックの時間に充てる。会議の主題、テーマに即したキーワードを挙げておき、丸囲みをする、アンダーラインを引くなどの形で、ザッと一気に流し読みをしてしまう。これでいくつかのポイントになる言葉が浮き上がるので、誰かの意見でその言葉が出たときに、すぐに対応ができる。

キーワードとして選択する言葉に、見落としがあってもいい。意見が出て、そうか、と気づいたら、あらためてそこをグルグル巻きする。そしてキーワードのひとつに加えてしまえばいい。自分で設定したキーワードを基礎にして、ほかの人の言う注目点を、キーワードに加えていく。

グルグル巻きにしたことで、自分が見落としていたこと、人の意見を聞いて追加したことが記憶にも紙にも残るので、それが自分の考えを再構築する手助けともなってくれる。

また、ほかの人が資料のある部分を指摘しているのに、そこにチェックをしないで聞いている人がいるが、それでは議論が積み重ならない。相手はそこにこだわりを持っているわけだから、否定するにしても、肯定するにしても、まずはそのこだわりにつきあってあげなければいけない。それもまた、グルグル巻きにするという手法でつきあってあげるわけだ。向こうは興味を持っている、こっちは興味を持ちたくないというのでは、コミュニケーションは成り立たない。前向きな議論になっていかない。

グルグル巻きは、そういうやり方としても意味がある。

3色チェックを取り入れていると、会議が始まるときには、この分厚い資料をどうしようかと思っていたものが、こうして会議が進むうちに、息の通った資料になっていく。

こうして会議を終え、次回その会議に出ると、またレジュメを作り直して新しいものにして持ってくるというケースが多いが、これはあまり賢明とは思えない。きれいに打ち直されてしまったものは、それまでの経緯がまったく見えなくなってしまう。そこまでに至った経緯、却下されていった案にもそれなりの意味があるはずなのだ。

だから私は、新しく配られたものは前回までの総括、おさらいの文書と考え、自分は書き込みをした前のレジュメでものごとを考えている。

きれいに打ち直した資料が使いづらいと考えるのは、私だけではないはずだ。

ビジネスパーソンに求められる「要約力」と「再生力」

例えば、上司に呼ばれて、今進行中のプロジェクトに関する関連書籍を10冊渡されたとする。そして、

「じゃあ、きみ、3日間でこれをチェックしておいてくれ」

と言われる。さあ、その〝チェック〟とはどういうことを指しているのだろうか。

これは、それぞれの論旨を把握して、どういう本であるかを要約できるようにするところまでが求められていると考えるべきだ。3日後、「それでどうだった？」と聞かれたときに、自分の言葉で説明できるところまでもっていく必要がある。

それが仕事上で求められる〝理解〟のレベルだと言えよう。その際、

「うまく言葉では言えないんですが……」

これは禁句である。うまく言えないが、わかっているんだというのは、わかっているとは見なされない。きちんと説明ができない限り、理解していないと取られても仕方がない。

「私なりに理解したところでは……」

こちらは一見、謙虚に聞こえる言葉だが、このあとに理路整然とした要約が続かないと、認めてもらえないだろう。なぜなら上司は自分の代わりに読んで理解しておいてほしいと頼んだのであって、「私なり」の意見が聞きたいわけではないからだ。誰が読んでもそう理解するだろうという客観性・論理性のあるものであってほしいのだ。

仕事のうえでは、資料を読んで内容を把握し、それを要約して簡潔に説明することがきちんとできて、初めて理解している、と言える。

それだけに、要約し、再生するという能力が絶えず要求される。

理解力のレベルを知るのにいちばんいいのは、同じ事柄を、異なる制限時間で説明できるかを試してみるといい。例えば、ある事柄を10秒で要約できるかやってみる。では、それについて、30秒でも、1分でも、5分でも要約できるだろうか。それが可能ならば、その事柄について、ほぼ完璧《かんぺき》に理解していると言える。

ある本の要約をするのに、15秒だったらできるが、1分間は話せないというのは、情報量が少なすぎる。逆に、30分かければ説明できるけれども、1分では無理というのは、要約力が弱すぎる。

子どもの説明というのはそういうことが多い。

子どもにある程度長いストーリーのものを見せて、あとからそれを説明させると、継時的な説明ばかりが延々と続く。こうなって、そのあとこうなって、あと、あと、あと……と連なっていく。時間的な経緯だけで説明をしようとするからだ。

的確に要約・再生をするためには、物事を構造的に理解できるかどうかが重要になる。

物語を要約するのでも、これが起こって、これが起こって、因果関係上これが起こってという理解はたしかに必要だ。だが、それとは別に、全体を俯瞰《ふかん》して捉える視点を持って、こういう人間関係の構図になっている、こういう社会構造の上に成り立っている、ということまで読み取ることができれば、理解も重層的だ。いわば、**マクロの視点で全体を空間的に鷲《わし》づかみするようなイメージ**である。そういう捉え方ができると、要約が非常に立体的になる。

日本人の場合、この構造的に捉えるということがわりと苦手だ。外堀から埋めていくような話し方に慣れているので、要約にしても、時間的な経緯でそのまま引き写して話してしまうことが多い。そのために、要約するときにも、いちばん肝心なところから入るのではなくて、あまり重要ではない前置き的なところから入り、そこを長くしてしまう傾向がある。

もっと俯瞰的に全体構造をつかむ、物事を幅広く見下ろす、という練習をするべきである。そうすると、大事なことから話していく、処理していくという習慣づけができるようになる。

構造的に理解できるか

じつは、レジュメ化で述べたキーワードを矢印や線で結び相互関係を際立たせるというやり方は、単に目立たせるとか、浮き上がらせるといったことだけに狙いがあるわけではなく、**文章を構造的に理解するためのトレーニング**でもある。

心理学にはゲシュタルト理論というのがあり、これは心理現象を全体論で捉えようという発想のものだが、そこでよく挙げられる例として、「ルービンの盃《さかずき》」といわれている図がある。白と黒で構成された図で、白い部分が浮き上がって見えると盃に見え、黒い部分が浮き上がって見えると、ふたりの人が向かい合っている顔のように見える。これは「地と図の関係」といわれており、図というのは目立つ部分を、地というのは背景になる部分を指す。どちらに注意を向けて見るかで、地と図の関係は反転するのである。

つまり、視点次第で地の部分は浮き上がらせることができるということ。そして、図化するということは、立ち上がらせる、立体化させる、ということであり、構造化させるために非常に重要だということがわかるだろう。

文章というものを文字の配列と捉えるだけでなく、俯瞰視点で全体を絵のように見る。

　すると、キーワード方式で丸囲みしたところや、さらにグルグル巻きしたところが、島のようにポンポンと浮かんでいるように見えてくる。そこに矢印や線が加わり、もともとはすべて地の文であったところに「地と図の関係」ができてくる。キーワードをチェックする、というごく単純な作業を土台にするだけで、構造的な理解力も培っていけるのである。

■ルービンの盃

　ここで大事なのは、必ず文章全体、資料全体に目を通すことだ。多くの人は、最初の数ページくらいはしっかり読むが、あとのほうになればなるほど、いいかげんにな

る。だが、資料で重要な内容というのは、むしろ後ろのほうにあることが多い。浅くてもいいから、まずは全体を読み通して、そこから重要なワードははずさないようにする。

チェックした項目は色分けされているので、優先順位も明確だ。要約に当たっては、最重要の赤から話せば間違いはない。もう少し説明するならば青を話す、さらに余裕があったら、緑も入れていく。課されている時間に応じた適確な説明配分も、難なくこなせることだろう。

「文章化⟷図式化」の技

的確に要約・再生する能力を身につけた人に次に勧めたいのが、**ある事柄を文章にまとめることができ、またそれを図式化することもできるという技**である。私はこれを、理解力としてさらにもう一段高いレベルのものと位置付けている。

文章でつらつらと書かれているものや誰かが話した内容などを、1枚の図式にできる。逆に、図化されたものを見て、文章にまとめたり、人に解説したりすることができる。この両方が双方向で行き来できるようであれば、かなり細やかなところまで理解できているといえるだろう。水陸両用エンジンにヴァージョンアップしたようなものだ。

なかには、図化するのは得意だが、言葉や文字に置き換えることができないタイプの人もいるし、文章にしたり、説明したりするのはうまいが、それを図化できないタイプの人もいる。図化できないようだったら、その事柄についての知識が頭の中で本当に整理されてはいないのだ。図だけはできるが、言葉で説明できないのなら、それはただ思いつきで描いた図にすぎない。そう判断される。

これはどちらか一方だけができるだけでは、真の理解とは言えないわけで、双方向にできなければならない。だが、これも練習で鍛えられる。

私は受験勉強のとき、このやり方で日本史・世界史をマスターした。

開国から明治維新への流れを覚えるのに、文章で、ペリー来航がどうの、南紀派と一橋派の対立がどうの、生麦事件がどうのというのを読んでいるだけでは、立体的な理解にはなかなか結びつかない。だが、それを図式にしてしまうと、じつに構造的に捉えることができる。時系列にこれとこれとこの事件があって、これにはどういう背景があって、これとこれのあいだにはどういう影響関係がある、さらにこうした影響があったから、開国、大政奉還へと突き進んでいったんだ、ということが構造的に把握できる。

こんどは、そうやって作った図式を見ながら、それを説明できるようにしたのである。その説明に突っかかるところは、自分の理解度の浅い箇所だ。

じつは、私はこれを私塾で子どもたちにも実践している。この手法を取り入れると、子どもの理解度がはっきりわかる。

例えば、算数の食塩水問題があったとする。これは、食塩と、その濃度と、食塩水の量とを使って計算をする応用問題なのだが、私は計算ができるかどうかということよりも、その問題がどの程度わかっているかがポイントだと考える。

「１００円のオレンジ4個とイチゴを買って、１０００円払ったら１５０円のおつりがきました。イチゴはいくらだったでしょう?」

この式を見せて説明し理解できたかと質問する。

式が理解できたのであれば、なぜそういう式が立つのか。何かどうだから、どうなっているのか。今、自分は何をするために、何をしようとしているのか。それを、丁寧に、日常語で説明してみるように言う。

問題を解ける子というのは、間違いなく、言葉で説明ができる。問題は解けるが説明できないという者はいない。

言葉でそれを説明できない子は、なかなか問題が解けない。式を解けないというよりは、その式と式のあいだの論理を言葉で埋められないのである。

算数や数学も、かなりの部分が言語能力だといえる。

算数の公式はひとつの図である。その図式化されたものを言葉で説明するという練習をさせる。最初のうちはとまどっても、何度もそういう練習をさせると、できるようになる。

■ 暗黙知の文脈と経験世界の文脈

［式］

1000－150＝850

100×4＝400

850－400＝450

答え：450円

⇧　⇩

［文章説明］

使ったお金からオレンジの代金を引いたのがイチゴの代金です。使ったお金は払ったお金からおつりを引けばでます。オレンジの代金は 1コ分の値段に個数をかけたものです。使ったお金から、そのオレンジの代金を引くと答えがでます。

逆に、今、口で説明したことを式にしてみよう、ということもやる。図式化と文章化を、双方向で行き来できるようにする。数学とか算数というのは、そういうことがきわめてやりやすい領域でもある。

計算ができないということとはあまり関係がない。計算間違いをしてもいいのだ。

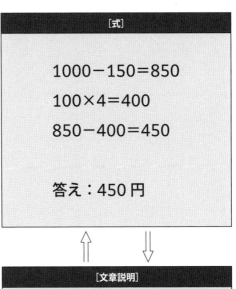

それよりも大事なのは、その問題の構造がわかっているかどうか、意味がわかっているか、である。こうやれば解けるということを説明できるようであれば、ある意味もう計算する必要はない。

これは**算数のみならず、社会科にも理科にも通用しうる理論**だと考えている。

これは勉強法の基本として、もっと広く認知されるべき方法だろう。

生産性を劇的に向上させる「3色手帳術」

3色でチェックすることで最も有効なのが手帳だ。この身近な情報ツールに3色方式を利用しない手はない。

私自身、50年以上前からずっと手帳を使いつづけているが、3色で書くようになってから、その活用度が格段にアップした。さまざまな予定が輻輳《ふくそう》していても、頭の中が混乱するということがない。毎日ハードなスケジュールで動いているが、それをこなしていけるのも、この手帳があるからだ。もう3色手帳なくしては仕事ができないと思うまでになっている。

それほど、3色方式を使うと手帳がクリアに見えてくる。3色がグレードをつけてくれるので、スケジュールの優先順位がはっきりとわかる。それはまさにこの章で述べている「情報を立ち上がらせる、立体化させる」という典型だと思う。

私はこれまでにいろいろな方に3色方式を紹介してお勧めしているが、ビジネスマンの方がいちばん関心を寄せるのが、この3色で手帳をつけるという方法である。実際にやってみたという方からの評判もすこぶるいい。

本書で私はさまざまな提言をしてきているが、とりわけ手帳に関しては、最も強く推奨したい。今すぐにでも始めてほしい。これだけでもやってもらえれば、本書で私が何を言おうとしているのか、3色方式というのはどういう威力を持っているのかということが、はっきりとわかるはずだ。では具体的に説明したい。

まず、**使用する手帳は能率手帳**である。図を示しておく（172頁）ので、以下のようなフォーマットを備えているものであればいいと思う。

まず基本になるのは、週間予定表である。今さら言うまでもないことだろうが、ほとんどの人の生活は、1週間を単位として動いているのではないかと思う。だから、細かなスケジュールを管理していくには、1週間単位をベースにするのがふさわしい。

いろいろ書き込みをすることと、1週間全体を見渡しやすいということで、片面1ページに1週間の予定が書けるようになっているものがよい。私の使っているものは、週間予定表が左ページ1ページに収まっている。月曜から始まり、日曜で終わるタイプ。上のほうに時間軸がついていて、小さく数字が振ってある。対向ページは自由に書けるメモになっている。

さて書き込み方だが、**最重要の用事は赤**で書き込んでいく。これを忘れてしまったら人に迷惑をかけてしまうという用件。やはり人との約束ごとが中心になる。すっぽかしてしまったら、社会的に葬られかねないというものを書く。

青で書くのは、まあ忘れてはいけない用事。

赤でも青でもそうだが、時間帯がはっきりしているものについては、何時から何時までと、その部分を囲って枠の中に用件を書く。予定が立て込んでいる場合、枠囲みにせずに、何時から何時までと線を引いて、その下に用件を書くこともある。

緑は、趣味的にやる用事。

私のような仕事の場合、会社員と違って、どこまでが仕事でどこからがプライベートかという境界線が引きにくい。仕事や研究のために本を読むのも、自分で企画を詰めていって原稿を書くのも、自分が好きでやっているので、ある意味、趣味の延長のようなものである。

私は、これは社会的な用事か、個人的な用事か、という判断をして、個人的に、遊び感覚を活かしながらやることは、みんな緑で書くことにしている。だから、仕事であっても、緑で書いているところがたくさんある。

私の使っている手帳には、前のほうに月間予定表、年間予定表のページもあって、月間予定表には、月ごとの課題を書くようにしている。日にちのところを3色で色分

■ 週間スケジュール

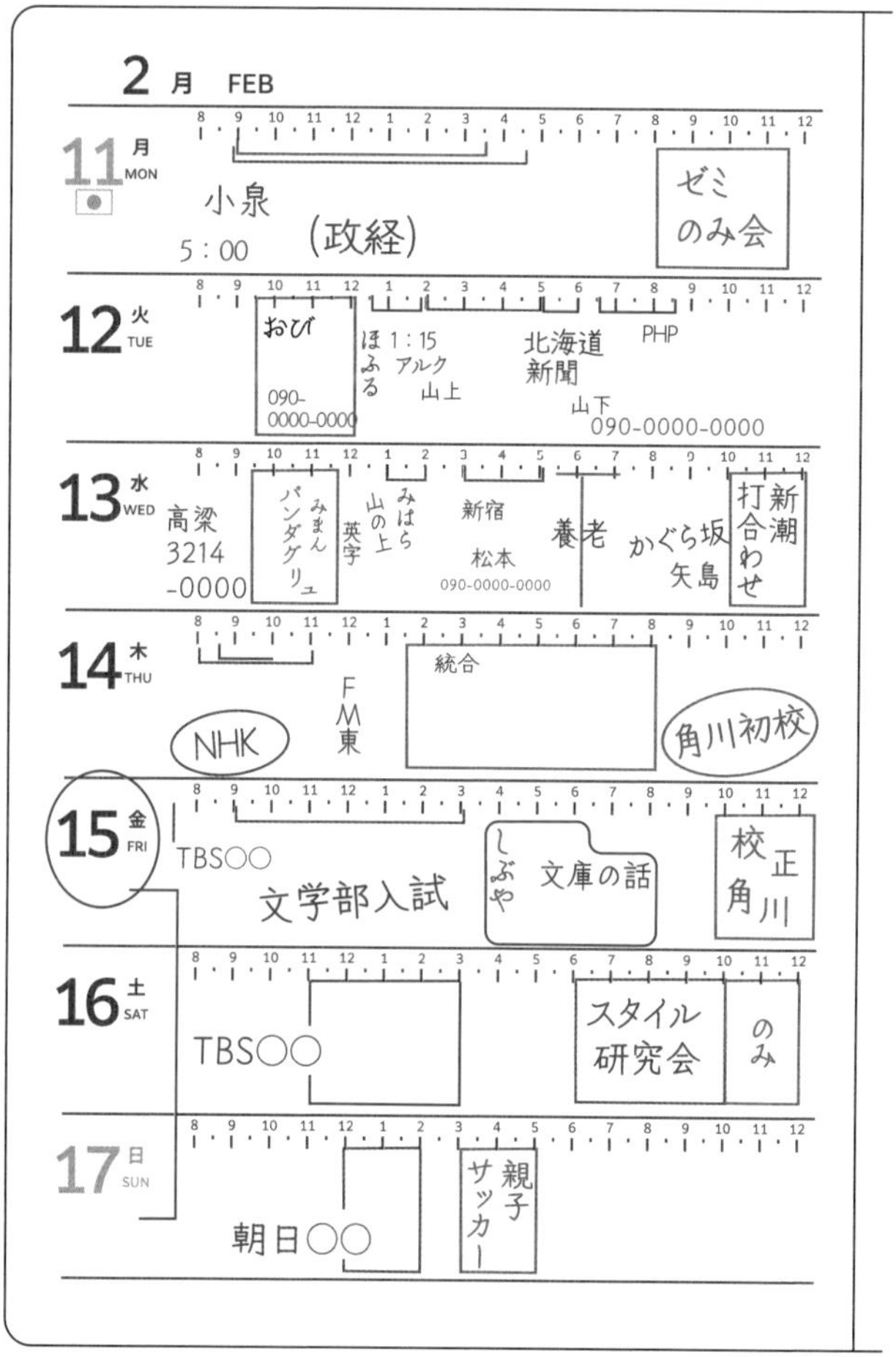
2月 FEB
11 月 MON
小泉
5:00
(政経)
ゼミ のみ会
12 火 TUE
おび
090-0000-0000
ほふる
1:15 アルク 山上
北海道新聞
山下 090-0000-0000
PHP
13 水 WED
高梁 3214-0000
みまん パンダグリュ
山の上 英字
みはら
新宿 松本 090-0000-0000
養老
かぐら坂 矢島
新潮 打合わせ
14 木 THU
NHK
FM東
統合
角川初校
15 金 FRI
TBS○○
文学部入試
しぶや 文庫の話
角川 校正
16 土 SAT
TBS○○
スタイル研究会
のみ
17 日 SUN
朝日○○
親子サッカー

けして囲い込み、その間にやらなければならないことを大きく書き入れる。また、年間予定表のほうにはもう少しタームの長い予定を書き込み、そこを見れば年間を通してのイメージがつかめるようになっている。

時間を3色で切り分ける

このやり方のいちばんの特徴は、**1日の時間を3色に切り分けていく**ところにある。手帳に決まった用事を書き入れていくことは、誰でもやっていることだ。それを、3色で分ける。これだけでもうグレードがつく。予定が次々と決まってきたら、あとでその優先順位を考えるのではなく、その時点で優先順位を決めていくのだ。色がどこの場所にあるのかというのは、脳裏に焼き付きやすい。たとえ何の用事かは忘れてしまっても、何か赤の予定があったな、というのは忘れない。たしか、来週の月曜日の午後に赤い用事があったはずだというように意識できているだけでもいい。あとは手帳を確認すればいいことだ。

時間帯のはっきりしている予定はそこを囲っておくというのも、スケジュール管理という意識をはっきりさせておくのに役立つ。あくまで予定なのだから、もちろん目安でいい。それでも、何時に誰と会う、と書いておくのと、何時から何時までの予定、と入れておくのとでは、時間に対する意識の持ちようが変わってくる。

緻密《ちみつ》にスケジュール管理をしてくれる秘書のいる人は別だが、たいていの人は自分の時間は自分で管理しなくてはならない。1日24時間と決められた時間で、睡眠や食事のように欠かすことのできない時間を除くと､使える時間というのは限られてくる。寝る時間を切り詰めるといっても、限界がある。その残りの時間をどれだけ有効に使えるかが、多くの仕事を効率良くこなせるかどうかのポイントになってくる。

私は、赤と青とで埋められていない余白の部分を、緑でくるということをよくやる。そうすると、**自分が好きに使える時間がどのくらいあるのかがパッと見渡せる。**その時間に何をどうやるかと割り振っていくためにも、緑で囲った余白の分量が瞬時にわかることが大切だ。

赤と青以外の余白の部分を、はっきりビジュアライズする。本来だったら何も書き込まずに余白にしておく部分を、緑で囲って浮き上がらせる。そうすることで、**埋もれていた「地」の部分を「図」にする**ことができる。すると、その時間をいかに使っていくかということが非常に考えやすい。わずかな時間の使い方にも、俄然《がぜん》メリハリが利いてくるのである。

1週間をシミュレーションする

3色に色分けされていると、パッと一目見ただけで、今週は赤が多い週だ、あるいは今週は緑が多い週になりそうだというイメージができてくる。

私がなぜこんなに手帳の色分けを重視しているかというと、それを見て、**事前にその週のコンディショニングを終わらせておく**からだ。

優れたバッターというのは、実際にバッターボックスに立つ前に、どのコースにどういう球質のボールが来たらどう打つ、というのをイメージの中でトレーニングしている。素振りをするのでも、ただ闇雲にバットを振り回しているわけではなくて、こういう球はこう打つぞ、というイメージを固めて素振りをしておくわけだ。いざ打席に立ってから、どう打とうと考えるのではない。心の準備をしておく。

それと同じことを、手帳を見ながらやる。いうなれば、1週間のシミュレーションをするのである。

私のシミュレーションというのは、まず、決まっている予定を見ながら、そのために準備しておくことはあるかを考える。資料が必要だったらそれを揃えて用意する時間、講演だったら草稿を練る時間、締切りまでに上げなければならない原稿がいくつかあれば、どれをどこの時間で書く……、そういったことを、それに要する時間はどのくらいか、その時間がいつ取れるかということを算段し、割り振って、緑の枠で囲まれているところに書き込んでいく。

何曜日までの自由になる時間はここと ここと ここで、この1時間をこの仕事の準備に充てるとする。すると、こっちの仕事の準備はどこでやるか。ここでやる以外には、もう時間は取れない。時間を逆算して考えているうちに、ここしかない、というふうに見えてくる。

そういう意味で、私は、手帳に書き込むこともすでに仕事の一環だと考えている。だから、用件だけでなくて、実際にやる作業の要点も、青や緑で細かく書き込んでしまう。原稿の場合なら、書かなくてはならない主題といったことを書いておく。もっと細かく内容についてレジュメのようなものを書くこともあって、そういうときは右側のメモページに書いておく。

ちょっとした空き時間に手帳を開いて、こうした段取りをあれこれ考える。電車やタクシーに乗っている移動時間とか、次の予定まであと何分か余裕があるといったときが多い。

あまり大きな声では言えないのだが、会議の最中にやることもある。私の場合、2時間、3時間と続く長い会議に出席することもよくあって、そういう時間内にひょっと手帳を開いたりする。会議の最中にほかのことをやるのはよろしくないが、どんな会議でも、手帳を見たり書いたりすることを禁じている会議はない。数分間の頭の切り替えは許されるだろうと思って、あの予定はどうなっていたかと確認したり、この原稿はこの緑の空き時間に書こうなどと書き込んだりする。

手帳に書き込む必要のある予定だけがその用事ではない。そのための準備を整えることも含めてが、その予定なのだ。それを踏まえて、事前にスケジュールに組み込んでおけば、その時間になったときには、ギアがもうしっかりと入っている状態で臨める。そこをはっきり認識していないと、直前になって準備不足であわてることになる。

だから、シミュレーション、イメージトレーニングが大事なのである。

このやり方をしていると、**時間の使い方に切迫感が生まれる**。それまでだったら、なんとなくテレビを観て過ごしてしまったという1時間、2時間の時間を、ただ漠然と過ごすようなことができなくなってくる。

先手必勝の仕事術

もし、こうしたシミュレーションを、手帳を持たずに頭の中だけでやってしまえる人がいたらすごい。だが、1週間後のこの仕事のためにする準備はここしかないから、この1時間、集中してその準備をするぞ、などと考えられる人がいるだろうか。これは手帳を持つからこそできることだと思う。

また、こうして手帳に書き込むことで**時間に対して緊張感を持つようになると、何ごとも前倒しで回していこうという意識がはっきり出てくる。**

どこかで予定が狂ってつまずきはじめると、そこから先、やることが後手へ後手へと回ってしまう。仕事に対しては、やはり先手先手で攻めることが必要だろう。

急ぎの仕事を人に頼むときにはどうするのがいいか、ということで、笑い話のようなことを聞いたことがある。それは、**「忙しい人に頼め」**だそうだ。

忙しい人に頼むと、その仕事だけに長くかかわっているわけにはいかないので、速攻で仕事を仕上げてくる。ところが、暇な人、時間に余裕のある人に頼むと、往々にして仕上がりが遅く、足を引っ張られることになる。暇な人ということは、暇であるだけの理由が何かしらあるものらしい。忙しくしている人には、仕事をこなす力がある。だからさらに忙しくなるのだ、と。

たしかにその通りだ。予定がどんどん後ろにずれ込んでいく人よりは、予定通りにこなす人のほうが信頼できる。さらに予定より前に上がるようであればもっといい。仕上がりが早い人には、どんどん仕事が回ってくる。

仕事というものは、自分から呼び込むものだと思う。

もしチャンスが到来したら、それを逃さないためには、まず期限を守る。約束の時間に遅れない、期限付きの仕事はそれまでに必ず仕上げる。質のいい仕事、おもしろいアイディアもたしかに大事ではあるが、それ以前にビジネスマンに求められているのは、信頼して仕事を任せられる人であるかどうかということではないだろうか。

じつは、職場におけるスケジュール管理、仕事の段取りというものも、このやり方でかなり工夫できると考えている。

ときどき、会社にいると仕事がはかどらないとぼやく人がいる。出版社の人に多い。朝何時から何をやって、何を片付けてと段取りをしていても、電話がかかってきたからできなかった、突然の来客があってできなかった、と言う。

それは、その分の時間も見込んでイメージトレーニングをしていないせいであると私は思う。だいたい1日に外からかかってくる電話が何本くらいあって、それにどれくらいの時間が割かれるというのは、およそ想像がつくはずだ。とくに休み明けは連絡事項が多いとか、また週末前の金曜日はとくに多いとかの傾向も見当がつくものだ。それにトータル何分くらいの時間が割かれるかをあらかじめ想定して、そのうえで仕事の段取りをする。

もし、電話がいつもより少なかったら、仕事は予想外にはかどって、もうけたような気分になる。ついでに別の仕事をひとつ済ませてしまうことだって可能かもしれない。

それを見込んでおくことを怠って、電話や来客のせいにしてはいけない。事前シミュレーションと先手必勝主義でやれば、この問題はきっとクリアできるに違いない。

手帳のメモ欄の使い方

手帳の話に戻る。

先ほど、私は週間予定の右側のメモのところに原稿のレジュメのようなものを書くことがあると述べたが、この**メモのページには、そういうアイディアのようなものが満載**されている。

何かアイディアを思いついたら、ここにメモする。日常、人と会話をしていてヒントになったことなどもメモする。緑で書くことが多いが、これも原則は3色を使い分ける。

だったらメモだけがまとまったページでもいいかというと、そうではない。これが週間予定と合わせて見られるページであるということに意味がある。その週の日程を見れば何をしていたのかがわかるので、そのメモがいつ思いついたことだとか、**誰と会ったときに話題に出たということがすぐわかる**。

ただし、きちんと人の話を聞いて、それを残しておこうとするときは、手帳には書かない。人の話を書き留めるには、どんどん書き込んでいけるだけのスペースが必要なので、そのためには別にノートを使ったほうがいい。手帳のメモ欄に書くのは、自分が刺激を受け、とくに記憶にとどめておきたいとか、ちょっとこのことについて調べてみたいといったことである。

それから、**誰かと会うときには、手帳のその時間のところに相手の名前とともに連絡先、たいていは携帯の電話番号を書いておく**。予定に変更が生じそうなときに連絡するのにも便利だし、後日、だいたいこの頃に会った人だ、と確認することもできて都合がいい。スケジュールが詰まっていて書き込めないときは、それを右のメモ欄に書くこともある。

相手の人に連絡をするのに、名刺を捜すというのは、けっこう面倒くさい作業だ。長くつきあう人、頻繁に連絡を取り合う人というのはアドレス帳に書き込んでおいたほうがいいが、そこまでの関係ではないという人がいる。

やたらファイリングに凝ることがばかばかしいのと同様に、私は**名刺整理に時間をかけるのも意味のないこと**だと思っている。それで、会った順に名刺をストックしておくのだが、その束から捜し出すというのが、意外に時間がかかる。ときには出先から連絡する必要のあることだってある。手帳を繰って、前に会ったところを見れば名

■ メモのページ

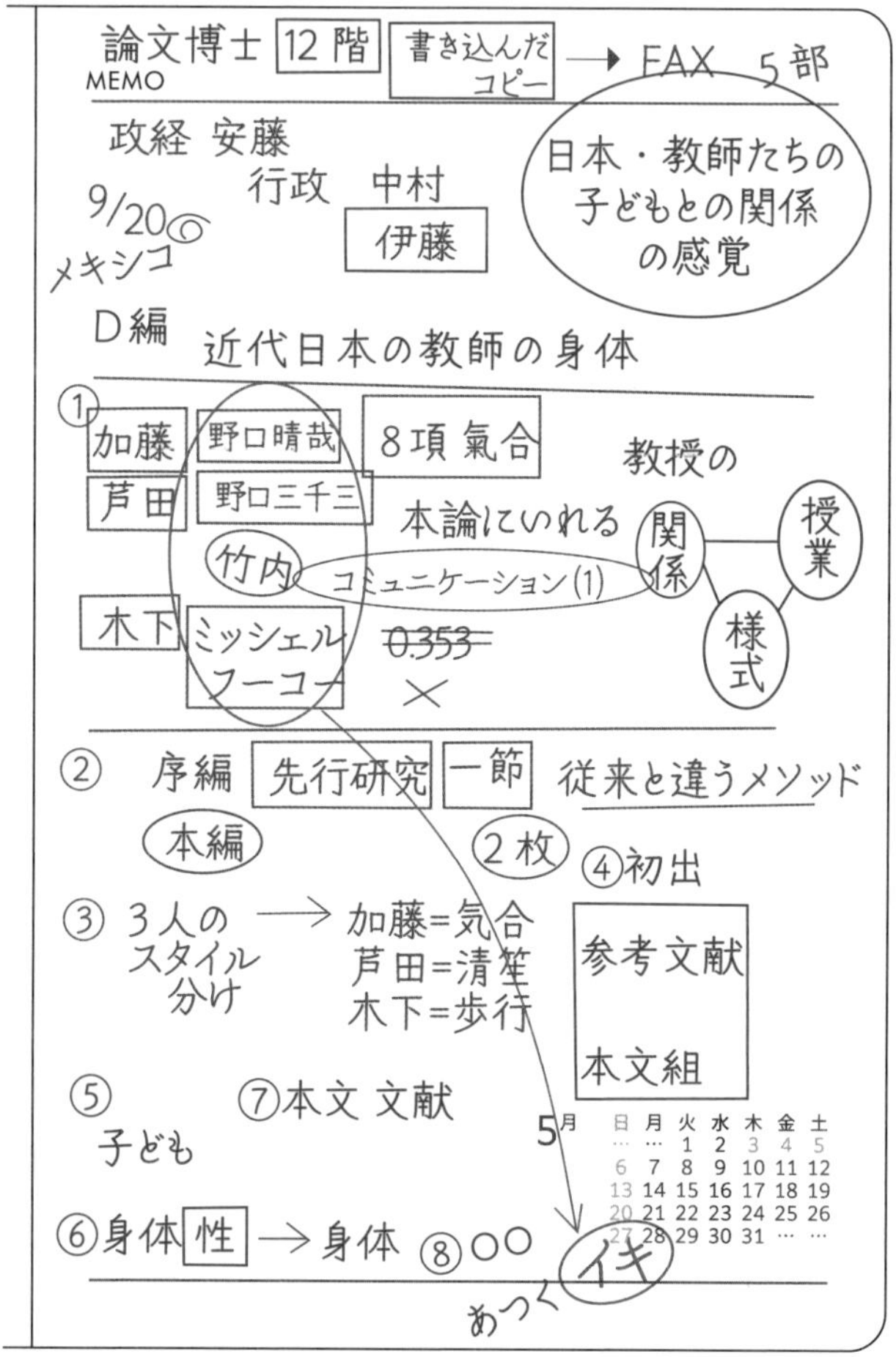
論文博士
MEMO
12階
書き込んだコピー
FAX 5部
政経 安藤
行政 中村
伊藤
9/20◎
メキシコ
日本・教師たちの子どもとの関係の感覚
D編 近代日本の教師の身体
①
加藤
野口晴哉
8項 氣合
教授の
芦田
野口三千三
本論にいれる
関係
授業
様式
竹内
コミュニケーション(1)
木下
ミッシェルフーコー
0.353
②序編 先行研究 一節
従来と違うメソッド
本編
2枚
④初出
③3人のスタイル分け
加藤=気合
芦田=清坐
木下=歩行
参考文献
本文組
⑤
子ども
⑦本文 文献
5月
日 月 火 水 木 金 土
… … 1 2 3 4 5
6 7 8 9 10 11 12
13 14 15 16 17 18 19
20 21 22 23 24 25 26
27 28 29 30 31 … …
⑥身体 性 → 身体
⑧○○
あつく イキ

前と電話番号が書いてあるというのがいちばん機能的だ。おまけに、そのときどこで会ってどんな話をしたかも思い出せるので、このほうがはるかにいい。

最近は、打ち合わせ中にPCでタイプする人が私の周りにもいる。ところが、あれはけっこう入力に時間がかかる。仕事の段取りを打ち合わせて、それをカチカチやっている編集者もいるが、その間、私のほうは手帳にさっと記して、相手が打ち終わるのを待っていることになる。仕事の効率化に役立っているとは思えない。

さっと書ける、パッと見てわかる、そして一覧できる、という点で、紙に勝るものはない。現在の私の手帳というのは、長いあいだあれこれやってみた結果、これがいちばんいいというやり方がいろいろな面で活かされているので、私にとっては、これがベストだ。

「何時から何時まで」という時間の枠の概念も、1週間を全体に見渡して予定を考えられるというのも、手帳だから可能になるという面がある。これ以上小さく、機能的になる必要もないと思っている。モノとして、非常に無駄が少ない。とても、電子機器に頼ろうなどという気持ちになれない。ずっとこの3色方式で手帳を使っていくつもりだ。

ひとコマ90分でメリハリをつける

私が時間を区切ろうとする考えの根本にあるのは、学校の「時間割り」の感覚かもしれない。

誰もが体験している時間割り。長い学校生活を送っているのだから、いちばん身につけていい技だと思う。

時間割りというのは、うまく使いこなせると、非常に効率が良い。カリキュラムというのはばかにできないもので、1年経ったら、きちんといろんな技が身につくようになっている。ひとつのことだけをずっとやっていては集中力が持続しないが、それを1日のあいだでヴァリエーションをつけて区切ることで、飽きずにやることができる。

社会人になるとすっかり使わなくなってしまうが、時間がのんべんだらりと流れてしまいがちであれば、自分で時間割りを組んで、くっきりと割っていくほうが仕事がはかどるだろう。

大学の授業というのは、だいたい90分である。それを「ひとコマ」と呼ぶが、なぜ90分かというと、成人における持続力・集中力に適度な長さだからである。これは人間のバイオリズムとも関係するらしい。睡眠にしても、1時間半を単位として取るといいという。

私は、大学で教えているということもあって、ひとコマという感覚が身体に刻み込まれている。そこで、自分の仕事をするうえでも、**90分をひとつの目安**に考えている。本の校正をするとか、資料を探してそれを読み込むとか、ひと仕事をこなすのにちょうどよい時間になっている。逆に言えば、脳と身体のほうが、その時間内に終えられるように仕向けているというか、指令を出していると言えるかもしれない。

手帳を見ながら時間の使い方をイメージしてどこの時間にどの仕事をやるかを決め込んでいくときも、やはり90分を基準にしている。

自分で自分の時間を管理することに慣れると、30分程度の細切れな時間も、どうしたら有効に使えるのかわかってくるので、この30分とこちらの1時間とで、ひとつの仕事をしよう、といった時間の組み立て方もできる。

ときには、ここのひとコマは仮眠に充てる、と決めておくこともある。1日に講演が3つ続くというようなときがあって、それはどこかで睡眠を取っておかないと、とても保《も》たない。そこで無理をしてそのあとのコンディションに影響するようではどうしようもないので、自分を休ませる時間もしっかり計算に入れておく。そうすることで、生活にメリハリをつけ、さらに効率化を図ることができる。

3色で色分けされた自分の手帳をじっと眺めていると、おおよその流れ、ペース配分のようなものもわかってくる。

1週間のうち、週の始まりの月曜日はわりあい赤が多いとか、真ん中あたりは緑が多いとか、そういった傾向がつかみやすい。それによって、クリエイティブな仕事は週の中盤の水、木曜日に固めていくほうがいい、といったことを考えられるようにもなる。

また、**自分がいちばん仕事のはかどる時間「ゴールデンタイム」を、どの時間帯にもっていったらいいいか**、ということもつかめてくる。その週のゴールデンタイムをどこに充てるか、その日のゴールデンタイムはどこか、ということがわかっていれば、そこへの臨み方、気の乗り方が違う。

これなども、1色で手帳を書いているのでは見えないと思う。手帳を立体化させて、俯瞰視座から眺めているからわかるのである。

限られた時間をフル活用するには

会社員の場合、例えば9時から5時までが勤務時間というように、一定の拘束時間が決められている。だから自由業と違って、そんなに生活にアクセントをつけることはできない、そう決めてかかることはない。

1日が単調な流れになりそうな人こそ、ひとつひとつの仕事の進め方に変化をつけ、段取りを組むという感覚を身につけるべきだと思う。

今日1日で何と何をやる、午前はこれで、午後はこれ、という程度の決め方では甘い。何時から何時までにこの仕事を終わらせ、何時から何時まではこれをやる、とかっちり予定を固めておいたほうがいい。こうした時間感覚を培うことが大事だ。

だいたい半日かかる仕事だなあ、と考えてダラダラとやるよりは、90分、1時間半を基本にして、ひとコマでこのぐらい進むから、3コマ、4コマで終わらせよう、と考えるほうが効率が上がる。

それに慣れ、90分のサイクルがある程度身についてくると、やれる仕事の量の目算がつくようになってくる。1時間半あればどのぐらいの仕事がこなせるという自分のペースがつかめるようになる。

この仕事だったらこのくらいの時間が必要で、それに費やせる時間がどれだけあるか、だから来週の何曜日までにはどこまでできる、ということを目算することもできるし、そのペースでやると、仕上がりまでに何日くらいかかるかもわかる。

あるいは、期限が限られている場合、どのようにこなしていったら、きちんと期限までにできるかを計算して、状況によってはそのために残業をする時間もあらかじめ計画に入れておくことができる。明日までにやらなくてはならなくて遅くまで残業するのと、期限までに上げるために毎日1時間残業を予定しておくのとでは、気持ちがまったく違う。それは仕事の成果にも表れるのではないかと思う。

時間というのは、あればできるというものではなくて、どれくらいまでに何をやらなくてはならないという制限があるほうが、しっかりとした問題意識を持て、有効に使える。

使える時間が5時間あると思ってやった仕事が、やろうと思えば、1時間半に圧縮できるということは多々ある。また、1時間半で済む仕事を、5時間かけてやったからといって、その出来がいいとは限らない。

仕事のできる人というのは、1時間半でやって、きちんと結果を出せる人のことである。

本章ではキーワード方式、資料のレジュメ化、手帳術を通して、情報の立体化ということについて具体的な説明をしてきた。

情報を3色で図式化して立ち上がらせることは、記憶の定着に役立つ。**左脳だけでなく、右脳もフル活用してイメージとして記憶する**ということだ。文脈を立体化し、構造化して理解する習慣がつけば、多くの人にとって切実な問題である、「大事な情報を忘れない」という必要性は十分に満たされるだろう。大切な赤を押さえつつ、自分が反応した緑を視覚として脳に刻印する。

キーワードと思われるものを線や矢印で結んでいくことには、情報を真に「活用」するうえで、さらに大きな意味がある。それまではつながっていなかったもの同士がつながる。**その異種配合がアイディアの源泉になるのだ**。緑のワードと赤のワードがつながることで、奇抜かつ王道を行くアイディアが生まれることもある。

次章では、情報からアイディアを生み出す術について述べたい。

第5章

編み出す

――情報からアイディアを生む

緑を重視してきたのはなぜか？

情報と出会うときには、まず自分を深くぐらせる。

そして、キーワード方式を用いて浮き上がらせ、文章を図式化するという発想で立ち上がらせ、わかりやすく、かつ記憶に定着させやすくした。

本章は、それをいかにして有効活用していくかという、いわば情報術の最終目的になる。

どんなに有益な情報を、どんなに優れた方法で自分の中に取り込んだとしても、それが具体的に何かに活《い》かされないことには意味がない。

立ち上がらせることで会議のレジュメとして役立てるのも、手帳を3色にすることで仕事の高能率化を図るのも、情報術における活用の一部ではある。だが、それは辿《たど》りつくべき〝ゴール〟ではない。

われわれが、溢《あふ》れんばかりの文字情報に囲まれてその保管スペースと保管方法に頭を悩ませながら、それでもどこかに取っておこうとするのは、それが自分の仕事や生活のうえで、この先きっと参考になるのではないか、と考えるからだ。

それは**「アイディアを生み出す素材」に違いない**、そう考えているからである。その構えは職種や立場を問わず、仕事をするうえで重要な力となる。

なぜ、そう考えるのか。それは、情報と出会ったときに、自分が興味・関心を抱いたからにほかならない。出会いの瞬間に、自分のアンテナに「ン？」と引っかかるものがあったからだ。つまり、取っておきたくなる情報とは、もともと、自分の縁に反応するものなのである。

縁というのは、行き当たりばったりでマークしているようだが、じつは人間の単純な気まぐれなどではない。

自分なりの縁のつけ方にはある種のクセのようなものがある。そこをつとめて意識化していくと、自分が縁としてある一定の角度というものを持っていることがわかってくる。その人なりのある種の傾向というものが見えてくるのである。

ところが、これはきちんと意識せずにその場その場で流してしまっていたのでは、いつまで経ってもわからずじまいだ。

緑は、自分の脳の暗黙知と深くかかわり合った、個人のあり方にとってきわめて本質的な部分だといえる。

緑の感覚をさっとマークする習慣をつけ、暗黙知の領域にきっちり浸《つ》けるために深くくぐらせる訓練をし、しっかりと記憶に定着させるトレーニングを積む――こうして「技化《わざか》」していくことにより、**緑は「なんとなく関心をもったものごと」から、「効果的に活かされやすい素材」へと進化していく。**

これを継続的にやっていると、やがてそれは、その人独自の視点ということになっていく。ほかの人にはない角度での提案ができる。もっとシンプルに言うと、こだわりを活かしていくということになる。

例えば、非常に演劇の好きな人がいる。芝居もたくさん観ているし、演劇関係の情報にも常に緑で敏感に反応している。

この人が会社に入ったとき、実際には演劇とはまったく無関係の仕事をしていても、発想のどこかに、脳に刷り込まれている演劇関係の経験や知識、そして暗黙知が影響を与えることになる。とりわけその人の暗黙知には、演劇に関する無数の事柄が集積されているから、本人が意識していないところでも、アンテナに引っかかって自分が反応している可能性がある。

それが、些細《ささい》なことである場合もあるし、仕事に直結するような場合もあるだろうが、いずれにしても、その感覚がその人の言動や性格に反映されないはずがないのである。

人には、そうしたセンスを日常、意識的に仕事や生活に出そうとしている人と、あくまでも趣味だからといって、ふだんはなるべく出さないようにしている人と2タイプがある。だが、自分では出さないようにしているつもりであっても、その分野にまったく興味のない人と同じということはありえない。

緑の感覚、独自の視点というものを生み出す母体のようなものは、そうやって個々の人間に芽生えているものなのである。

この緑の感覚というものは、自分で意識して、くっきりとあぶり出しておかなければならない。曖昧《あいまい》にしておいたのでは、いざ使いたいときに使えないことになる。**いつでも稼動させられるようにスタンバイさせておく、**それが、緑を技化しておくということだ。

すべてのアイディアの源泉は縁

ここで、仕事というものは何なのかをいま一度考えてみたい。

私は仕事の本質とは、アイディアを生み出すことだと考えている。

その人固有の着想、思いつきをビジネスの場に提示する。人が自分の内側に情報をくぐらせたことで生まれた、新しい考えを提示する。

これが仕事だ。

この立脚点は、業種や立場を問わず働く場を真に活性化させるうえで有効だ。アイディアを生み出すとは、何も一部のクリエイティブ職に限られるものではない。自分の今の職種、仕事内容の中にも、主体的に縁をかかわらせることで、さらに効率的で、おもしろく、仕事を活性化させる方法は必ずあるはずだ。

本書を通して提示してきた情報活用とは、単に事務処理を速くしたり、仕事の能率化を目的とするものではない。暗黙知を最大限活用し、固有のアイディアを生み出すことだと認識してほしい。

アイディアとは誰もが思いつきえなかった素晴らしく独創的なものというよりは、既存のものに対してバランスよく縁を配合することで、新たな形をとるものが大半だ。何もないところから、突然、生まれてくるものではない。

むしろ、何かを元にして、**それをどううまく組み合わせたり、ひと工夫加えたりして新しいことが考えられるかという能力**だと言っていいだろう。

非常にクリエイティブなアイディアに見えるものでも、実際にはそのほとんどが何らかの形でアレンジされたものである。

モーツァルトやゲーテのような天才でもそうだ。

彼らにしても、自分は既存のものをアレンジしているんだという意識を持っていた。制作過程で、そのアレンジの方法に工夫を凝らしているうちに、自分のスタイルを編み出したのだ。

ノーベル賞クラスの発見や研究も、みなそのスタイルを確立するまでには、多くの先例を参考にして、そこから自分のスタイルを見出《みいだ》して、たどり着いた結果である。

自分の縁を入れて組み替えることで新たなものを生み出すのだ。それは客観系の赤・青をクリアにおさえられているからこそ、初めてできる段階である。

自分の暗黙知に引っかかった縁を発揮する。積極的に活かす。それがすなわちアイディアを生み出すことだ。それはまた、情報活用の〝ゴール〟でもある。
緑のセンスを具体化されたアイディアとして編み出すコツはふたつある。
まず、緑を発揮するポイントを工夫すること。
次に、緑の力で異種配合することだ。
そのことについて具体的に説明していきたい。

緑を発揮するポイントを工夫する

では、実際に〝自分の緑を活かして〟何かを生み出していくとはどういうことか、具体例を示したい。

私はあるセミナーで、「カラオケボックス」をヒントに、新しいアイディアを出してみよう、ということをやった。

まず、これを聞いて、「カラオケ」の部分に関心を示す人、すなわち「カラオケ」を緑のグルグル巻きにする人は、なぜカラオケが空前の大ヒット商品となったかを考えて、そこから発想を広げていくことになる。

本来、歌謡曲というのはプロが歌って、人々はそれを聴くものだった。ところが、素人も聴くだけではなくて、じつはみんな歌いたがっているという点に着目して、歌謡曲から歌を抜いてバックミュージックだけにして、自分たちの声をそこに乗せられるようにした。これが大当たりした。

では、もともとはプロがやっていることを、素人が誰でも気軽に参加できるようにしたというところから考えられるものには何があるだろうか。

例えば蕎麦屋《そば》はどうだろうか。自分たちで蕎麦を打って、それを食べられるようにする店。職人のようなうまい蕎麦はできなくても、自分で打つという楽しみは確実に満たされる。

そういうふうに、カラオケの構造をほかの分野に置き換えたものの商品化というのがいろいろ考えられる。

一方、「ボックス」のほうに緑のグルグル巻きをする人は、またまったく違う方向にアイディアが展開していく。

カラオケをやるためには器材も要るし、防音設備の整った場所も必要となる。バーやスナックでは、お酒を飲める人でないと行きにくい。では、カラオケ設備を用意した場所、専用スペースがあれば、誰でも気軽に行けるのではないか、そこがカラオケボックスのおもしろさだ、と考えて発想を展開する。

カラオケボックスをそのまますぐに転用できそうなものとして、DVDを観られるようにしたミニシアターの案が出た。これはすでに実用化もされているらしい。

バスの1区画を個室に区切るというアイディアも出た。

さらに、カラオケとボックス、双方の構造をヒントに、自分たちで料理を作って食べられる店というアイディアが出た。キッチン用品がすべて揃えられ、豊富な食材も用意されていて、それを使って自分たちで自由に料理を作り、それを食べられるという場だ。

このように、**自分の関心のあり所、縁をどこに置くかで、アイディアの方向性というのは変わっていく。**

今挙げたアイディアも、「カラオケボックスをヒントにして」というところから始まった。カラオケボックスが情報だ。そこから個々が縁の感覚を膨らませて考え出したものは、偶発的にポッと出たわけでなくて、そこにこだわりつづけたことにより、必然性を持って出てきたものだと言っていい。

ちなみに、自由に料理を作って自由に食べるという案は、女性のアイディアだった。食材がすべて用意されていて、しかも後片付けをしなくていいなら、料理をするのは楽しい、と常々思っていたという。

「玄人がやっていたことを素人に開放することで、素人が主体的にかかわることのおもしろさ」と「それ専用スペース」ということを結びつけた発想だった。

縁は、こうして使えばアイディアに繋《つな》がる。

アイディアを生む源になる。

自分が興味の持てないことを考えつくというのはなかなか難しいことだが、緑はもともと自分の関心のあることだから、緑の発想を膨らませていくことは楽しい。楽しいからやる気が出る。次々とアイディアが浮かぶ。緑の感覚は、こうして発揮されていくのである。

どこを「まねる」かの切り口が大事

先の例で言えば、たしかに、「カラオケ」を最初に思いついた人は素晴らしい。しかし、これもまた無から生み出されたものではない。

その根底には、歌謡曲のレコードがあり、のど自慢大会のような発想のきっかけがあったはずである。その発想の切り替え方がみごとで、新鮮な思いつきだったということ、それを人々がこぞって受け入れたくなったという点が大きい。

そういう意味では、カラオケボックスをミニシアターに転用するというのは、どちらかと言うと誰でも思いつきやすい。いいアイディアではあるが、オリジナリティに乏しい。

その点、料理を作って食べられるボックスというのは、かなり斬新《ざんしん》だ。

何かを素材としてそこから組み替えるにしても、人が思いもかけないようなものを組み合わせるところに、アイディアの妙が生まれる。

スピルバーグ監督の初期の作品に『激突！』という映画がある。ハイウェイを走るドライバーが、運転手の姿の見えない巨大タンクローリーに追いかけられる恐怖を描いた映画である。

その手法を転化したのが、『ジョーズ』だった。「姿が見えないものがあおる恐怖心」という人間の心理に主軸を置いたからこそ生まれたアイディアだと思う。

スピルバーグは、カーチェイスする車を題材にして『続・激突！ カージャック』という作品も作っているのだが、そちらはコミカルな要素も取り入れて、また違う味のものにしている。それでも、やはり二番煎《せん》じの感は禁じえない。

だが、『ジョーズ』の場合、不安感を描き出すという発想は同じで、要素を変えただけだが、まったく異質な作品に見える。アレンジの工夫で成功したといえるのは、やはり『ジョーズ』のほうと言って間違いないだろう。

人間心理に着目したことで、**緑を発揮した箇所が一段上等だったのだ**。

この場合、元になった『激突！』も、その後に作られた『続・激突！』も『ジョーズ』もすべてスピルバーグ自身の作品なので、まねかどうかの問題にはならないのだが、もし、これを別の監督が作ったとしたらどうだろう。おそらく、『続・激突！』のような内容のものは「パクリ」だと言われるが、『ジョーズ』については何も言われない。

これは、どこかから発想を転用するときのコツではないだろうか。

「学ぶ」という言葉と、「まねる」という言葉は、語源が一緒だ。

人はまねることで、学んでいく。しかし、学んだことをそのままの形で表現したのでは発展性がない。そこで、自分というものを通した証拠、自分流の工夫や色づけを示せなければ、それ以上のものにはならない。そのアレンジをする際に、最も威力を発揮するのが、何を隠そう、**緑の感覚**なのである。

スピルバーグ監督が『続・激突！』のあとに『ジョーズ』を作ったというのも、自分の緑の発揮度に納得しきれなかったからかもしれない。

具体的なアイディアが現実を変える

以前、NHKの人気番組『プロジェクトX』で、天然痘の撲滅に力を注いだ人たちを取り上げていた。

WHO（世界保健機関）の天然痘根絶計画に携わる国際プロジェクトチームは、1960年代から80年にかけて、天然痘が猛威を振るう諸国で、ワクチン接種を普及させようとする。そのリーダーが日本人だったのだが、民族性や宗教観が異なる国々での活動が、いかに大変で苦労の多いものだったかがクローズアップされていた。

インドでは、天然痘に罹《かか》ることは幸せなことであると人々が信じ込んでいる村があった。ワクチンを打って治すなんてとんでもないと考えて接種を拒絶する住民たちに、どうやったらワクチンを打たせることができるか。

そこで考えついたのが、ワクチンというものは、牛から採るものだということ。ヒンズー教の国インドでは、牛は聖なる動物だと考えられている。だから、牛から採ったワクチンを接種するということは、天然痘に罹るというよりも、もっと神に近づくということなのだ――そう説得することで接種が可能になったというのである。

この番組を観たとき、私は、これは巧みなアイディアだと思った。

住民が拠《よ》り所としているのは〝信仰〟である。どんなに病気や感染の恐ろしさを説いたところで、信仰を覆すことは難しい。自分たちは正義だという意識で、命の危険を正攻法で説いていただけでは、どんなに頑張っても住民たちは納得しなかっただろう。

相手が信仰に基づいてそういうのであれば、こちらも信仰に根ざした発想で説得すればいい、これは発想の転換というものの好例ではないだろうか。

現実の困難とは、こうした具体的なアイディアで乗り越えていくものだ。仕事の本質を示す最良の例ともいえる。

この日本人リーダーは、公務員だった時代に自分の提案した意見を「仕事を増やすな」といわれて潰《つぶ》され、やる気を喪失しかけていたときに、このＷＨＯの天然痘根絶プロジェクトに出会ったという。

自分の関心のアンテナ、緑のグルグル巻きを大切にしつづけてきた人こそ、大きな仕事を成し遂げるものだと思う。

異種配合は最強の技——引用力

次に、異なる要素を緑で統合する作業が新しいアイディアを生むということについては、引用力というのを考えるとわかりやすい。

私は、本を読んでいてそれを引用したいと考えることがしばしばある。仕事柄、そういうものはただ緑でチェックするだけでなく、はっきり「引用可」というふうに上に丸で書き、そしてグルグル巻きにして差別化しておく。

自分が文章を書くときには、まずこの部分から書きはじめることが多い。

複数の本から引用したい文章というものを何種類かもってきて、パソコンに打ち込む。そして、それを繋いでいく地の文章を作る。まさに「三題噺《さんだいばなし》」的な編み出し方をよくやるのである。

場当たり的なやり方だと言われてしまいそうだが、けっしてそうではない。

まず、それを引用しようとした自分がいる。「引用可」のグルグル巻きにした時点で、私は、これはどこかに使ってやろうと、ある意味、待ち構えているのである。

そして、3種類なり4種類なりの引用文を繋ぐのは、引用したくなったという自分の暗黙知なのである。

だから、それを**繋ぐ線が見えたときには、もうオリジナリティが出たものである**と言える。これが非常に大切な点だ。

このときに、同一種類のものを引っ張ってきてしまうと、おもしろさが薄れる。できるだけ違う種類のものをもってきたほうがいい。

「こんなものを組み合わせてしまって、まとまったひとつの文章、文脈として完成させることができるだろうか」

そんな不安を感じるくらいのほうがいい。

そこには暗黙知として何かが繋がっていると信じる。そしてそこを繋いでいくラインを見つける。そうしたときに自分独自のものの見方とかアイディアというものが浮上してくる。

地の文章、自分の文章があって、そこにほかの人のものを入れるのではなくて、順序としては、先に引用したいものを何種類か打ち込んでおく。そして、そのあいだを繋げていく。——これはアイディアを必然的に生んでいく私のひとつのシステムとなっている。

資料を仕込むコツ1

アイディアを生み出すという目的地点がはっきりしていると、資料の仕込み方も明確なものとなる。

何かを作り出すというビジョンがあって、それに類する資料を集めて、その中から何が参考になるだろうか、ヒントとして取り入れることのできることはないか、と探しながら仕事を進めていく場面があるだろう。大量の資料を読み解き、報告書やレポートをまとめなければならない。そこに自分なりのある角度をもたせなければならない。そんなときのコツを挙げておきたい。

第一に重要なのは、資料の選択である。いい資料を徹底的に活用するということ。これは非常に基本的なことである。

例えば、100冊の本を資料として読みこなすとする。それをすべて同じように大事だと考えては、まとめるときに収拾がつかなくなってしまう。

受験勉強でもそうだが、問題集というのはできるだけたくさんやったほうがいいが、参考書は多すぎると、知識がかえって散漫になる。たくさんの英文法の参考書を読むよりは、1冊、英文法の基本書みたいなものを徹底的にやるほうがずっと効果的である。

仕事の資料も、あの本のここが大事、この本のここも、そっちの本のここも、とあらゆる資料を部分的に〝いいとこ取り〟しようとすると失敗する。それは、ひとつひとつ個別には大事なのだろうが、全体をマクロ的視点で見ると、矛盾だらけになってしまう可能性があるからだ。

100冊を3色方式で読んだら、その中でのベスト3を決めることだ。自分がその仕事をするに当たっての、**本当に基本になる大事な資料はどれなのかと絞り込む**。これは、自分の好き嫌いでは選ばない。赤・青の部分を中心にしながら、客観的評価をする。

その絞り込んだ資料に関しては、3色ボールペンで線を引きまくって、大事なところはグルグル巻きにして、徹底的に読みこなす。

では、ほかの97冊は読む必要がなかったかというと、そういうことではない。その中には「ここは絶対に注目したい点だ」という箇所がいくつかあるはずだ。たいていは緑の箇所になる。それはそれとして、ちょっと違った視点、違った切り口として、有益な情報になる。

こうした濃淡をはっきりつけるということが重要なのだ。

そして、それを元にしてまとめあげる際には、優先順位を間違えないこと。情報を再配列するときには、優先順位をしっかりさせて構築することが大切である。

もっとも、3色方式というのは、常に優先順位をつけることを反復して身につけているようなものなので、これを実践して技化した人には、優先順位をつけるという意識が自然と培われているはずだ。

欧米の論文の作法には、サマリーといって要約がつけてあったり、あるいはキーワードが冒頭にいくつか掲げられてあったりする。とくに論文にキーワードを掲げるというのは日本にはなかった発想だが、それによって、断然読みやすくなるし、また検索しやすくなるというメリットもある。

報告書などをまとめるときには、そうした手法を取り入れるのも効果的である。

資料を仕込むコツ2

大量の情報の中からアイディアを生み出すうえでもうひとつ重要なのは、**できるだけ異種の資料を用意する**ことである。センスのよい異種配合のためには当然ながら、ここが重要なポイントになってくる。

例えば、新しい商品のアイディアを考えるというときに、同業種の研究を重ねて、そこから何かを見つけ出そうというのは、じつは大変難しいことである。むしろ、異業種で成功している例を調べ尽くして、それを自分の業界にあてはめたらいったいどういうことが起こるのか、ということを考えたほうが、おもしろいものが生まれてくる。

似たような資料ばかりだと、参考にしたところであまりランクアップに役立たない。これは緑に引っかかりそうにない、まったく引っかからないものばかりだな、と思ったら、自分の今与えられている、あるいは求めているテーマに、ぴったりと貼りつきすぎかもしれないと考えてみるといい。

テーマに沿ってそのままの資料を集めても、それは突き抜けるきっかけにはならない。そこに波風立つような資料というものを持ち込む必要がある。

その波風が立つものというのは、資料を集める側の人間の、**暗黙知のアンテナにおいて、どこか繋がりそうな予感のあるものを選んでくる**ことになる。自分の中のアンテナを信じて、異質と思われるようなものの中から、そういったものを集めてくる。

これとこれがどうして繋がるのかというのが、すぐにはほかの人にわからないぐらいのものが、資料として提示されたときにはおもしろい。

これはこの3色方式が技化されたときに生じるより高度な作業である。3色方式とは単一の資料やテーマ内での効率のよさを保証するものにとどまらない。常に自分の緑感覚を訓練しておくことで、たとえテーマや種類がまったく異なる情報でも暗黙知を通して異種配合される。異なる要素が統合されることで新しいものを生み出す。

私が緑にこだわりつづけてきたのは、暗黙知の網の目を技化しておくことで、さまざまな仕事の場面で固有の発想ができるからだ。

異なるものを結びつける

前に挙げた「カラオケボックス」をヒントにしたアイディアの例は、私が企業セミナーで実施する「組み替えによって編み出す」練習である。

あるヒット商品について、まずその商品のアイディアとしてのおもしろさを分析してもらう。では、これは何をアレンジしたものかという質問をする。何を元にしたものかということに気がついたら、今度はそれをさらに別の領域に応用させられないだろうか、と問う。そこからアイディアが生まれてくる。

これを練習すると、アイディアを生み出しやすい頭になってくる。そのコツを、実際のヒット商品というものを分析することで、実際に学んでいくのである。

どういうアレンジをすることで、どういうおもしろいものが編み出せるか、組み合わせを替えることで見えてくる。

そしてそれをある線で結んでいく。**異なるものをまたぎこして結び合わせる力というのが、アイディアを生む強烈な力になっていく。**これは、異種配合と言ってもいい。

落語に「三題噺」というのがある。全然脈絡のない3つの素材を繋げて、ひとつの噺を作り出すことだ。

どう繋げようと、それは各自に任されている。まったく脈絡のないと思われるような3つのものに、ある流れ、繋がりをつけていく。どういう順番でどう組み合わせるか、そのラインをどういう形で結んでいくかに、センスが問われ、それぞれのオリジナリティが如実に出る。

情報をアイディアに繋げていくのも、いわばこの三題噺のようなものだ。**繋がらないものを繋げるのがアイディアであるという強い認識を持って、キーワードとキーワードを結びつける、見えないラインを探す。**

それはちょうど、サッカーで、突如パスのラインが見えるというようなものだ。何人かの選手の動きの中で、一瞬サッとパスが可能になるラインが見える。すかさずパスを通すと、ゴールへのラインが開けてくる。

情報についても、いくつかの異なるコンセプトを3色でグルグル巻きにしたものを並べて、このバラバラな言葉がどう繋がるのかと考えていると、フッと繋がりというかラインが見えることがある。そこを実際にラインで結んでみる。

すると、あっ、これが結びつくんだったら、これもあるというような展開がある。

そこで繋がらないものは、繋がらないことから発想を展開していくことにより、また別のアイディアが生まれていくこともある。

こうした異種配合こそ、3色方式で鍛えられたクリアな脳ができる、ダイナミックでアクロバティックな知的活動だ。情報活用の最高地点ともいえる。

領域の違うものをまたぎ越し、統合していく脳の快感は、一度味わうとやめられないほど気持ちがいい。そこから現実を少しでも変えるアイディアをひとつでも、ふたつでも編み出せたとき、バラバラだった情報が、固有の価値をもって輝き出す。

それが、情報を活用するという営為の王道なのである。

練習1

以下のテキストのキーワードを1分ほどでひろってみてほしい。「チャーミング」を赤、「器」「器量」を青、「美しさ」を緑で囲んでみよう。

記録的な猛暑となった7、8月。半導体を中心とする電機・電子部品各社の業績下方修正が相次いだ。一連の業績下方修正に対し、各企業トップは一様に「先行きの見通しの甘さ」「予測不可能」といった類の説明に終始した。これではまさにリーダーシップの欠如であり、リーダー不在といわれても仕方ないだろう。今、求められるリーダーとは。

「人を引きつける〝チャーミングなリーダー〟だろう。どんな環境にあっても、情報を多面的に整理して、的確な判断力と先見力に加えて明確なビジョンが提示できることは当然だが、何よりも備わってほしいのは〝この人に付いて行きたい〟と思わせる人間的な魅力ではないか」

資生堂の名誉会長である福原義春氏は、今のリーダーと呼ばれる人材の多くが、リーダーとリーダーシップの違いを誤解していると嘆くことしきりだ。

福原氏によれば、情報が氾濫する現代に必要となるのは、1人の〝ビッグリーダー〟

ではなく、専門性を持った多くのミドルリーダーであるという。真のリーダーには、そうしたミドルリーダーたちを引きつけるチャーミングさが必要であるという。

〝チャーミング〟とは、文字通り人を引きつける魅力だ。実はこの言葉、毎年行われていた〝キャンプニドム〟というセミナーの総括の席上、岡山県倉敷市の大原美術館の理事長である大原謙一郎氏が、並み居る先輩諸氏を称して発した言葉なのだそうだ。福原氏自身、〝人間力〟の必要性を説き続けるが、この〝チャーミング〟という言葉は同じ意味合いを持つという。

「一言でいえば人の器量だろう。しかもその器量を測るモノ差しは、器の大きさだけではなく美しさがなくてはいけない。器量の美しさとは、人が持つ教養の深さであり、他の人の進言に耳を傾け、人を納得させるだけの説得力を伴うものだ。自ら学ぼうとする姿勢、研鑽を積む努力を重ねなければ美しい器にはなり得ないだろう」

世の中には、リーダーという地位に就くと、自らにリーダーシップが備わったと勘違いし、その実、事が起これば何も判断できない〝張り子のリーダー〟が数多い。まして人間的な魅力である器の美しさが問われるとすれば、並大抵の努力では自らを磨くことはできないだろう。

漢学者の安岡正篤氏の著書『照心語録』によれば、人は修養を積んで人間としての器量ができてくると、「知識」が「見識」となり物事の本質を見抜く力が備わり、さらに研鑽を積めば、どのような状況であっても成すべき事は成すという肝の据わった「胆識」が身に付くとしている。

「胆識」とまではいかなくても、「見識」にまでは自らの器を高めたいものである。いったいどのような研鑽を積めばよいのだろうか。

「器の美しさとは、人に教えられて身に付くものではない。何よりも自分自身でどのように磨くかを常に考えなければならない。求める対象は、書物であれ先人の教えであれ、あらゆるところに広がっている。要は、何であっても知りたい学びたいという気持ちが大切ではないか」

資生堂の創業者である福原有信氏の孫である福原氏は、1人っ子として幼少を過ごし、近隣のお年寄りから数多くの知識を得たという。さらに社会に出てからも多くの先輩の教えを自らの器を磨く糧としてきた。つまり自ら先人の教えを吸収しようという姿勢が、今日の美しい器を形成したのだろう。

「20世紀は人間が道具として生みだしたはずの機械や技術に使われてきた時代だった。21世紀という時代は、技術が進化する過程で人間が見失ったものが何であるかを探る〝原点を訪ねる〟旅になるだろう」

福原氏の指摘は決して技術の否定ではない。情報技術に代表される技術革新にしても、道具としてうまく取り込むことでレベルの高い新たな産業が登場すると予見する。要は、人間にとって何が本当に必要であるかの追求が重要なのであろう。

確かに、物質面で何不自由ない世の中で、われわれは労働を軽視し、〝楽をして暮らそう〟〝楽をして儲《もう》けよう〟といった観念にとらわれているように思えてならない。社会の豊かさの代償は、個々の人間的魅力の喪失なのかもしれない。

人間としての〝チャーミング〟さ、取り戻したいものである。

巻頭言「今こそ求められる〝チャーミング〟なリーダー」
福原義春（資生堂・名誉会長）（WEDGE2001年6月号）

練習2

練習2〜3は自分でキーワードをひろってみよう。
3〜4つに絞るのが効果的だ。

「今の日本は、国や企業、国民に至るまで、〝国難〟に直面しているという危機感が欠如している。まさに漂流状態だ。何より難局を自ら乗り越えようという覇気が感じられない。最大の原因は、日本人がかつて持っていた〝気概〟を失ったからだ。人に気概がなくて、どうして国や企業が活性化するというのか。こうした状況下で、リーダーが担う責務は大きい。まずリーダーが変わるべきだ」

アサヒビールの瀬戸雄三相談役は、かつて日本が明治維新の動乱や第二次大戦の敗戦を国一丸となって克服した〝気概〟や〝心のたくましさ〟を取り戻せ、と一喝する。そしてその旗振り役であるリーダーに覚悟を促す。

瀬戸氏は、ある日本在住の欧米人に『日本は静かで、住みやすい国だ』と言われ、少なからず気分を害したという。この欧米人の言わんとするところが、〝日本の活力の欠如〟と受け取ったからだ。

ひと月に数回、中国、韓国を行き来するという瀬戸氏は、日本国内では体感できない〝アジアの活力〟を肌で感じるという。

「中国や韓国で感じることは、国と企業、国民1人ひとりが持つ迫力だ。大都会の喧噪は、明日のパワーにつながり、人の目の輝きも違う。皆、国を担い世界をリードするという気概と自信に満ち溢れている」

「日本は小さな幸せに満足し、大きな夢を描けない国になってしまった」――。瀬戸氏は嘆く。


瀬戸氏が言う〝小さな幸せ〟とは、一言で言えば〝安住〟である。つまり、多少厳しくとも何不自由ない今の生活が維持できれば、国や企業の再生は他人任せということだ。確かに今の日本は、やれ構造改革だ規制緩和だとキーワードを基にした議論は尽きない。しかし実際のビジョンの提示や実行に移るとなると、遅々として進まない。

「日本に必要なのは、100のお題目より1つの実行」と瀬戸氏が指摘するように、時代の流れを的確につかみ問題の本質を理解して先導するリーダーの存在が不可欠ということだろう。瀬戸氏は冒頭にあるように、〝リーダー自らが変わるべき〟と説く。何をどう変えろというのか。

「リーダーは自ら動いて本気を示せということだ。1番辛く厳しい仕事にこそ、率先して立ち向かうべきだ。リーダーの情熱で人は動く。リーダーはまず、目まぐるしく環境が移り変わる中で、変化情報を的確につかまなければならない。その変化情報の中から根源的な問題点を抽出し、改善する。そして将来の展望が開ける、夢のあるビジョンを提示し、実行しなければならない」

瀬戸氏によれば、変化情報の取り方には2つあるという。企業の場合でいえば、1つは工場や研究開発などの現場からの生の情報であり、もう1つは組織から上がる情報である。現場の情報は耳障りな手垢の付かない濁流情報であり、組織から上がる情報は整理された耳に心地よい清流情報だ。この2つの情報をミックスすることで、変化の兆しと問題の根源をいち早く察知することができると説く。

瀬戸氏の現場重視はつとに有名だが、その現場の回り方にもリーダーとしての自覚が必要であるという。重視するのは、組織との一体感だ。

「社内の花形ではなく、光の当たらない現場から回れということだ。1番辛い仕事に従事する現場から意見を吸い上げることで、組織の一体感が増す。営業現場の場合でいえば、真夏に北海道の販社に行くなどもってのほかだ。避暑に来たなどと誤解されてはタガが緩む。行くなら真冬の辛い時期に回るべきだ。人間の機微とはそういうものだ」

さらに瀬戸氏は、「組織の真の問題点を抽出するためには、〝会話〟ではなく真剣な〝対話〟が必要」と強調する。リーダーの本気を示すために、従業員との対等な会話、つまり〝自分をさらけ出せ〟ということだ。自らの悩みや過去の失敗をさらけ出し、企業の将来の夢を本音で語ることで、従業員も本音をさらけ出し、真の問題点が抽出できるという。

閉塞した状況から抜け出せない日本。瀬戸氏の言葉を借りるまでもなく、アジアのパワーに感じられる〝気概〟の欠如が問題の根元にある。瀬戸氏が指摘するように、強烈な指導力を持つリーダーの存在は欠かせない。しかし〝リーダー待望〟だけでは、問題は解決しない。要はわれわれ1人ひとりが〝気概〟を取り戻す覚悟が必要ということだ。

巻頭言「〝気概〟を取り戻せ　リーダーは〝本気〟を見せろ」

瀬戸雄三（アサヒビール・相談役）（WEDGE2003年1月号）

練習3

「私の後継者として誰を選ぶか。こう考えたとき、わが社の役員たちに勝る人材は外部には1人もいない。実に多種多才な人材が揃っており、誰を選ぼうか困るくらいだ。外部から社長を招聘するのは、後継者育成に失敗した証拠。当然、後継者はわが社内から選ぶ。ウチの場合は〝終身雇用の実力主義〟。リーダーとは、真の競争の中から育つものだ」

キヤノンの御手洗冨士夫社長は、自身の後継者育成に自信をのぞかせる。キヤノンはこのデフレ不況の最中に、純利益で3期連続の過去最高を達成。御手洗氏自身は、米ビジネスウイーク誌が選ぶ世界の経営者25人に選ばれるなど、そのリーダーシップぶりは説明するまでもない。

しかし今のキヤノンにとって、御手洗氏の存在はあまりに大きい。実際、キヤノン内部からも〝ポスト御手洗〟を危惧する声が上がっている。御手洗氏は、自らの後継者にどのような人材を選ぼうというのか。

「リーダーとしての使命感や倫理観はもちろん、私が求める最大の条件は、企業を正しい方向に導く目標設定能力、これにつきる。最高の目標設定とそれをどう遂行するかの戦略を組むまでがリーダーの役割。それができない人材はリーダーとしての資格がない」

御手洗氏の掲げる目標設定能力とは何か。それは時代の先を読む力であり、その先読みに沿った実現可能な目標を設定する能力である。さらに自らの企業が持つヒト、モノ、カネという資源を正確に把握し、その資源を総動員して目標達成のための戦略をいかに組むのか、あるいは不足する部分をどう補うかという戦略構築能力である。

「命がけで目標を設定するのがリーダーの責務」という御手洗氏は、目標設定に際して〝ボトムアップ〟や〝合議制〟という似非民主主義をもっとも嫌う。

「よく日本人はボトムアップの重要性を説くが、明確な目標設定がなされた上で、それを実行する段階で現場の声を吸い上げることは必要なこと。しかしリーダーはあくまでトップダウン。これは部課長クラスにも常々言うことだが、自ら目標設定ができず部下の意見を吸い上げたなどという無責任なリーダーは、その部下とリーダーを代わるべきだ。さらに合議制の名の下に、誰が決めたか分からないような無責任でスピードの遅い方針の策定などもってのほかだ」

御手洗氏のリーダー論からは、言葉の端々に〝命がけ〟〝死にものぐるい〟という発言が飛び出す。部隊の生死を分けるリーダーの責務は重く、その責任感が使命感や倫理観につながるというわけだ。

この御手洗氏のリーダー観は、どのように育まれたのか。それは、御手洗氏自身の23年間に及ぶ米国生活の経験が大きく影響している。

「旧知の仲であるGEのジャック・ウエルチや米国の名だたる経営者と接して感じることは、あの米国という競争社会の中で、勝ち抜いてトップに上り詰めたリーダーの凄みだ。その体力、気力、見識、人格もさることながら私自身尊敬し憧れることは、彼らは社会や企業に対する自己犠牲と奉仕という崇高な人生観と価値観を持っている。日本のリーダーは米国の経営スタイルではなく、その経営者としての精神に学ぶべきだ」

御手洗氏が冒頭に掲げた『終身雇用の実力主義』。この日本流と米国流の混在したキヤノンの人事政策には2つの狙いがある。1つは終身雇用が持つ運命共同体としての集団結束力の強化であり、もう1つの狙いは真の競争の中から勝ち抜く個々人の力を引き出す〝個の確立〟である。

「実力主義とは人間尊重主義。人間が持つ向上心に公平に応えるのが実力主義の本質だ」

キヤノンは今、全世界の役員候補に海外のビジネススクールと連携して徹底的な教育を施すとともに、本社では御手洗氏自身が塾長となって『経営塾』と称する実践教育で次代のリーダーの育成を行っている。

「私が経営者としてやってこられたのは、グローバリゼーションの波が日本に押し寄せる中で、私が持つ世界観や思想が時代にマッチしていたから。しかし時代は常に移り変わる。いつその時代の流れが変わるのか、そのタイミングを見極め、時代にマッチした後継者を選ぶ」

ポスト御手洗にどのような人材が次代のリーダーとして就くのか、それは真の競争に勝ち抜いた人材であることは間違いない。

巻頭言「真の競争からリーダーは育つ」

御手洗冨士夫（キヤノン・社長）（WEDGE2003年3月号）

練習問題　〈資料をレジュメ化〉

日本の産業競争力向上に大きな役割を果たしてきた製造技術。長引く不況と自信喪失で実力低下を懸念する声もあるが、蓄積した技術が形を変えて再び輝き始めた。日本経済研究センターが昨年末にまとめた世界の潜在競争力ランキングで全体では17位に沈んだ日本も「科学技術」では世界2位だ。素材、IT（情報技術）、バイオやナノテクノロジー（超微細技術）を融合させた世界に類のない多様な技術、超テクノロジーが次々と実用段階に入っている。

明治時代には日本の主力輸出産業だった養蚕業が、衰退に追い込んだ合繊産業によって復活の道を歩み始めた。

愛媛県松山空港から車で10分。合成樹脂や炭素繊維を製造する東レ愛媛工場内に半導体工場を思わせるクリーンルームがある。部屋の主は体長4センチ程度のカイコの幼虫。製造するのは猫や犬の風邪薬となるネコインターフェロンだ。

眠れる資源

組み換えウイルスを注射したカイコは体液にネコインターフェロンを蓄積。東レは体液を精製した治療薬を獣医に販売する。事業規模は年10億円。「カイコ自体を生産設備として使う」(桜井徹ケミカル事業部課長)世界初の工場だ。

東レがいま、取り組んでいるのはインターフェロンなど目的とするたんぱく質を含む絹糸を吐く遺伝子組み換えカイコの研究。たんぱく質は水で溶出できるため生産性は飛躍的に高まる。実用化は3年後。ヒトの医薬品原料となるたんぱくも生産できる見込みで市場は4000億円程度まで一気に広がる。カイコは成虫になっても飛べず、自然界で生存する能力も低い。万が一逃げ出しても環境面での安全性は高い。

日本発のシルクロードを作ろう――。政府予算案が決まった昨年12月24日。農水省先端産業技術研究課の佐藤紳課長補佐は決意を新たにした。同省が要求した昆虫を利用した新産業創出予算に補正予算と合わせ10億円が計上されたのだ。

研究拠点となるのは独立行政法人・農業生物資源研究所(茨城県つくば市)。日本は養蚕業で約100年の歴史を持ち、同研究所はカイコ研究では世界でも屈指の存在だ。

予算は主にカイコの塩基配列を解読するのに使う。同研究所の川崎建次郎生体機能研究グループ長によると、例えば生体維持をつかさどる遺伝子が分かれば、特定の害虫にだけ効き目がある農薬を作ることもできる。

絹は人体にもなじみやすい。オードレマン（大阪市福島区）が化粧品に使うなど産業利用が静かに広がり始めた。昆虫の産業利用に詳しいユニバーサルデザイン総合研究所（東京・港）の赤池学所長は「世界で200万種と言われる昆虫の多くはアジアに生息する。この未利用資源を使わない手はない」と力説する。

ハエを使う

宮崎市の大型娯楽施設、フェニックス・シーガイア・リゾート近くの住宅地で「本当のリゾートを作る」と立ち上がった男がいる。冷戦後のロシアから宇宙技術を輸入するフィールド社の小林一年社長。ロシアから輸入した特殊なイエバエがカギだ。

豚や牛の畜フンにハエの卵を置くと8時間後にふ化。幼虫はだ液に含まれる消化酵素でフンの脂質やたんぱく質を5日で分解、環境汚染の元凶とされる畜フンを良質の肥料に変える。幼虫は成虫になる前にゆでてニワトリの餌にする。

もともとは宇宙船で生活するために開発した「全く廃棄物の出ない究極のリサイクルシステム」（小林社長）。宮崎県内の山林に同社が提唱するシステムの実証農園を作り、新たな「リゾート地」にすると意気込む。

目をつけたのが畜フンの野積み禁止を控えた地方自治体。鹿児島県川辺町が採用を決めた。微生物でフンを分解するには60日を要しコスト高。新手法はコストも低く「自治体、経済団体など年間４００―５００件の視察がある」（徳永有希子専務）。この肥料を使って育てた野菜は栄養価も高い。セコムは同社と共同出資会社を設立、野菜の販売に乗り出した。

建築に応用

竹中工務店はカブトムシのハネの構造をシャッターや形状が容易に変えられる階段・壁など建築分野で応用を進める。ワックス大手のセラリカＮＯＤＡ（神奈川県）はカイガラ虫の分泌物から化粧品原料になる天然ろうの精製を始めた。

農水省が昨年8月以降に東京や京都などで開いた「昆虫産業創出ワークショップ」には延べ６００人・１００社以上が参加、「昆虫産業」への期待の高さをうかがわせた。

カイコやハエ、カブトムシなど一連の昆虫利用は、古来から伝わる自然資源と日本が得意としてきたハイテクを組み合わせて新産業を興す一例だ。80―90年代に日本を支えた半導体産業のような１０００億円規模の投資は必要ない。非連続の発想と、起業家精神さえあれば、企業規模や地理的条件にかかわらず次代の新産業は見つかるはずだ。

「超テク　日本の底力（1）『昆虫産業』羽ばたく――カイコが医薬品工場」（日経産業新聞2003年1月1日掲載）

各項目の情報の関係を構造的に理解できただろうか。1例としての解答は、口絵の4頁目を参照してほしい。

旧版　あとがき

３色ボールペンの威力は、威力を信じて使った人にははっきりとわかる。そう固く信じて、『三色ボールペンで読む日本語』という読書法を打ち出した。当時はパイロット社から、赤、青、緑の３色ボールペンを市販してもらうという尋常ではない気合いの入りようだった。そして、今回は情報活用術。

私がこんなにこの道具にこだわるのは、これが脳の働き方を鍛えるからだ。主観と客観をスイッチし、優先順位をクリアにする。そういう脳の働きが技化するのだ。

極端なようだが、私は全ての情報は、３色に分かれると思っている。まあ大事か、すごく大事か、面白いか。単純な区分けのようだが、これが技化すれば、自分の３色の基準はいくらでも精緻《せいち》になっていく。シンプルな道具は、複雑微妙な技と矛盾しない。むしろそれを助ける。使い慣れた優れた包丁は、いろいろな食材を的確に捌《さば》く技を助ける。

情報の目的は、最終的には使えるアイディアを生み出すことにある。整理のための整理では、スポーツにおける練習のための練習と同じだ。なんとしてもヒントをつかむという攻めの姿勢が情報活用のカギだ。3色ボールペンは、この攻めの構えを習慣化させる。

なんだか、あとがきにしては力が入りすぎてしまいましたが、この機会に少しでもこの技が広まればと願っています。

なお、この本が出版されるに当たっては、これまで同様、角川書店の伊達百合編集長と、山本浩貴さんのお世話になりました。ありがとうございました。

2003年5月

齋藤　孝

新版　あとがき

本書は今からちょうど20年前に角川書店（現・ＫＡＤＯＫＡＷＡ）から刊行された『三色ボールペン情報活用術』という新書が元となっており、今回新たな序章を追加して、改めて世に問うこととなった。

当時と今とでは、情報をめぐる環境も様変わりした。

ＩＴ技術が社会的なインフラとなり、生成ＡＩの出現が世を騒がせている。

しかしながら、いや、デジタルな時代だからこそ、溢れる情報を制し、最大限に活用するアナログな武器として、３色ボールペンがこれまで以上に存在感を増すだろう。

本書を手にしながら、情報の洪水に恐れず、怯まず、３色ボールペンを手に未来を切り開いていていただきたい。

２０２３年初秋

齋藤　孝

【著者プロフィール】

齋藤 孝（さいとう・たかし）

明治大学文学部教授。1960年静岡県生まれ。東京大学法学部卒業後、同大大学院教育学研究科博士課程等を経て、現職。専門は教育学、身体論、コミュニケーション論。

ベストセラー作家、文化人として多くのメディアで活躍する一方で、本業は、中学・高校の教員を目指す学生が履修する教職課程にて教鞭を執る「教師」であり、教員養成に力を注いでいる。

「教育における身体の研究」「コミュニケーション技法」「教育方法および授業のつくり方」「教師としての力量形成」を研究テーマとし、ハードかつハイテンション、超実践的な授業で、教員を志す学生たちから、熱い支持を得ている。NHK Eテレ「にほんごであそぼ」総合指導。

『声に出して読みたい日本語』（草思社／毎日出版文化賞特別賞）をはじめ、『三色ボールペンで読む日本語』（角川書店）、『身体感覚を取り戻す』（NHKブックス／新潮学芸賞）、『座右のゲーテ』（光文社新書）、『質問力』（筑摩書房）、『1分で大切なことを伝える技術』（PHP新書）、『齋藤孝の大人の教養図鑑』（講談社）、『原稿用紙10枚を書く力』（大和書房）、『大人の読解力を鍛える』（幻冬舎新書）、『誰も教えてくれない人を動かす文章術』（講談社現代新書）、『雑談力が上がる話し方』『話すチカラ』（ともにダイヤモンド社）、『大人の語彙力ノート』（SBクリエイティブ）、『頭のよさとは「説明力」だ』（詩想社新書）、『小学生なら知っておきたい教養366』（小学館）、『君の10年後を変える言葉』『図解　渋沢栄一と「論語と算盤」』『10歳からの伝える力』（ともにフォレスト出版）など著書多数。


［ホームページ］https://www.isc.meiji.ac.jp/~saito/

情報活用のうまい人がやっている
3色ボールペンの使い方

2023年9月21日　　初版発行

著　者　齋藤　孝
発行者　太田　宏
発行所　フォレスト出版株式会社
〒162-0824 東京都新宿区揚場町2-18　白宝ビル7F
電話　03-5229-5750（営業）
03-5229-5757（編集）
URL　http://www.forestpub.co.jp

印刷・製本　萩原印刷株式会社

ISBN978-4-86680-249-7　Printed in Japan